afgeschreven

Valse vriendinnen

Håkan Nesser

Valse vriendinnen

Uit het Zweeds vertaald
door Ydelet Westra

DE GEUS

Oorspronkelijke titel *Kära Agnes!*, verschenen bij Albert Bonniers,
Stockholm
Oorspronkelijke tekst © Håkan Nesser, 2002
*Published by arrangement with Linda Michaels Limited,
International Literary Agents*
Nederlandse vertaling © Ydelet Westra en De Geus BV, Breda 2006
Voor de Shakespeare-citaten uit *King Lear* op p. 110, p. 111 en p. 148 is
gebruikgemaakt van de vertaling van Willy Courteaux uit 1987,
verschenen bij De Nederlandse Boekhandel/Uitgeverij Pelckmans
Omslagontwerp De Geus BV
Omslagillustratie © Douglas Mark Black/Trevillion Images
Foto auteur © Cato Lein
Druk Bercker Graphischer Betrieb, Kevelaer
ISBN 90 445 0343 X
NUR 305/332

Valse vriendinnen

OVER HET GEHEEL GENOMEN was het een geslaagde begrafenis.

De ochtend was grijs en windstil geweest, maar toen we bij het graf stonden, was de zon door het wolkendek gebroken en wierp hij scheve bundels licht door het vergeelde gebladerte van de iepen.

Erich zou het heerlijk gevonden hebben. Herfst. De hemel die ineens opentrok en een tinteling in de lucht achterliet. Helder, zonder dat het koud was. De akkers die afliepen richting Molnar waren geoogst, maar nog niet omgeploegd. In de verte was een boer rijshout aan het verbranden.

De voorganger heette Sildermack: een lange, magere, bleke man. We hadden elkaar de week ervoor natuurlijk gesproken om de gang van zaken door te nemen. Hij is nieuw in de gemeente en heeft een soort misvorming aan zijn ruggengraat, waardoor hij zich op een onhandige, min of meer rollende manier voortbeweegt. Het maakt hem ouder dan hij in werkelijkheid is. Maar zijn gezicht straalt een innerlijk licht uit en hij heeft zijn taak zonder mankeren vervuld.

We waren met zijn twintigen. De kinderen uiteraard. Zijn moeder met haar gevolg: haar vriendin en haar vinnige verpleegster.

Beatrice en Rudolf.

Justin.

Hendermaags, die zo dom was geweest om haar kinderen mee te nemen. Niet ouder dan tien, twaalf jaar. Een verlegen jongetje en een meisje met vooruitstaande tanden en een nerveuze blik. Wat heeft het voor zin om hen hieraan bloot te stellen? Ze hadden geen band met Erich, ze hebben hem hooguit twee of drie keer gezien, voorzover ik me kan herinneren.

Ebert Kenner natuurlijk, en een paar huidige collega's, die ik nog nooit had gezien. Een kwartet om precies te zijn: twee vrouwen en twee mannen. En geneesheer-directeur Monsen, die in de kerk een herdenkingsrede hield en het niet kon laten bij het graf ook nog enkele woorden te zeggen.

Over de helderheid van deze herfstdag en onze tijd op aarde. De analytische scherpte die Erich zo gekenmerkt had en waarvan de doorbrekende zon die ons vergezelde getuigde.

Woorden.

Ik werd een beetje moe. Ik werd, in die donker geklede kring van rouwenden en half rouwenden en mensen die er zonder specifieke reden stonden, overspoeld door een golf van lusteloosheid. Misschien was het wel verdriet dat me aangreep; niet in de eerste plaats verdriet om Erich, maar verdriet om het leven.

Zijn onvolkomenheden en blinde spiegelingen. De falsificaties die we onder het tapijt vegen en op een afstand houden, maar die ons toch inhalen, als we ons maar lang genoeg hebben afgewend. Als we niet voldoende hebben opgelet.

8

Ik heb niet gehuild. Tijdens de hele ceremonie heb ik geen traan gelaten. Ik heb er lak aan wat mensen daarvan denken. Maar er zijn vandaag de dag legio medicijnen die onze geest afstompen en verstommen, dus ik vermoed dat mijn gedrag amper verbazing heeft gewekt. Ik heb überhaupt geen woord met iemand gewisseld. Alleen discrete, bevestigende blikken. Handdrukken. Lichte omhelzingen en illusoire knikjes.

Zijn jeugdvrienden van de roeivereniging droegen de kist. Vier waren het er. Ik herkende drie van hen, maar ik kende niemand bij naam. Ze wonen allemaal hier in Gobshejm en volgens de dominee waren ze zelf met het idee gekomen om dit te doen.

En dan Henny.

Het was niet mijn bedoeling om alle aanwezigen op te sommen, maar ik zie dat ik het toch gedaan heb.

Henny Delgado.

In de kerk was ze gekleed in iets zwarts met lange mouwen, maar toen we buiten kwamen had ze een donkerrode poncho over haar schouders geslagen. Ik herinner me dat ze altijd rood droeg, niet per se helemaal in het rood, maar altijd een accent. Een rode blikvanger. Een karmozijnrode blouse of een sjaal. Zelf hou ik van blauw en koel. Al op de middelbare school weken we niet af van deze nuances: Henny rood, geel en oker, ik blauw en turkoois, koele kleuren. Alleen in groen konden we ons allebei vinden, maar wel in verschillende schakeringen. Later — het moet het eerste najaarssemester op de universiteit zijn geweest — zijn we samen naar een kleurenanalist gegaan, die het eens was met onze intuïtieve keuzes. Hield lapjes stof bij onze verbaasde gezichten en begon uit te weiden over onze verschillende huidtypen. Pigmentatie-persoonlijkheden, bijna alsof het iets spiritueels was.

Ze zag er verrassend jong uit, Henny. Energiek en gezond, op de een of andere manier. Ik weet niet waarom het me verbaasde, maar het was zo. Ze was natuurlijk alleen gekomen; haar man en kinderen zaten nog in Grothenburg. Ik heb haar dochters nooit gezien, maar hun doopkaarten zitten in een of ander album, zoals het hoort.

Het voelt een beetje raar dat we elkaar niet gesproken hebben toen we elkaar na zoveel jaren weer zagen. Maar ik denk dat ze nog wel van zich laat horen. Waar dit vage vermoeden vandaan komt weet ik niet, maar het zou me verbazen als ik me vergis. We waren zo hecht als twee mensen van hetzelfde geslacht maar kunnen zijn zonder dat ze familie of homoseksueel zijn. Het is lang geleden, maar er zijn tekens en kleine vingerwijzingen die ons op een dieper niveau raken dan het cognitieve en talige. Dat staat vast.

Justin bood aan om bij me te overnachten, maar ik heb het aanbod afgeslagen. Hij is lief en begripvol, Justin. Ondanks zijn ietwat onbehouwen manier van doen heb ik hem altijd gemogen. Maar ik wil het liefst alleen zijn. Alleen met de honden, de brandende open haard en mijn fauteuil voor het raam. Een glaasje port – of twee – de schemering die over de tuin valt, de knoestige, kapot gesnoeide appelbomen, de buxusheg en de drassige helling richting Molnar. Een paar uur in absolute stilte met mijn fotoalbums en herinneringen. Misschien rook ik ook wel een sigaretje. Ik rook al jaren niet meer, maar dit is een bijzondere dag en ik heb nog een paar pakjes liggen.

Ik heb me voor volgende week ook ziek gemeld. De helft van mijn colleges is uitgesteld, de andere helft moet Bruun overnemen. Zoals gewoonlijk. Het is vervelend om Keats en Byron in zijn verkleumde handen te leggen. Maar ik had geen keus. De tentamenperiode is al over drie weken en de hele stof moet voor de vijftiende behandeld zijn.

Het is fijn dat het nu voorbij is. Eindelijk. Ik wist dat ik op een dag alleen zou zijn. Erich was achttien jaar ouder dan ik. Ik was niet op zoek naar vuur en passie toen ik hem uitkoos, maar naar het blauwe. Hij is zevenenvijftig geworden en niets wees erop dat hij zo jong zou sterven. Monsen benadrukte in zijn herdenkingsrede ook dat hij nog veel niet had gedaan. Wetenschappers horen niet tot de categorie mensen waar de jaren vat op hebben, beweerde hij. Althans, niet als het gaat om hun dagtaak. Ik begreep dat hij hiermee zowel zichzelf bedoelde – hij moet tegen de zeventig zijn – als een andere aanwezige collega.

Maar Erich was tot stilstand gebracht, zoals men thuis in Saarbrücken placht te zeggen. Hij heeft de eindstreep gehaald.

Ik zit in mijn fauteuil en kijk met een half oog naar de schemering en de tuin en met een half oog naar de kamer met het vuur en de boeken. We hebben in de loop der jaren heel wat verzameld. Ik ga ze de komende dagen een beetje herschikken, denk ik. Zet de zware geneeskundige werken op zolder en geef de literaire boeken een meer prominente plaats. Dit is nog maar één van de vele kleine dingen die ik moet doen. Maar dat kan wel tot morgen wachten. Nu wil ik alleen maar zitten en niets doen.

Herinneringen ophalen en in de albums bladeren. Er schieten me een paar regels van Barin te binnen:

Ik mis de milde zweetgeur van mijn moeder
en de korte broek die ik op mijn eerste schooldag aan
   moest.
Ik mis Ursula Lipinskaja en uitgeslapen ontwaken
op volkomen onbeschreven zomerdagen.
Maar het meest van alles mis ik de onbereikbare rook
van de sigaretten die ik nooit rookte in cafés.

Ik steek er nu een op. Er gaat een gevoel van ingehouden voldoening door mijn lijf.

Alsof iets wat al lange tijd stond te gebeuren nu doorgang vindt.

De honden liggen te slapen voor de open haard en lijken hem niet te missen, zij evenmin.

Agnes R.
Villa Guarda
Gobshejm

Lieve Agnes,

Sorry dat ik je zo snel schrijf nadat je alleen bent komen te
staan. Ik hoop dat je niet al te zeer bent aangedaan door dit
zware verlies. Ik vond het zo fijn om je weer te zien, uiteraard
liever onder andere omstandigheden. En ik had eigenlijk een
paar woorden met je moeten wisselen toen ik er was, maar er
was iets wat me belette. Ik weet niet wat, soms worden we
nou eenmaal gehinderd door krachten die we niet kunnen be-
noemen. Nietwaar, Agnes?

Het was een mooie en waardige plechtigheid. Ik heb je man
nooit gekend, dus ik kan niet beoordelen in hoeverre het ook
becoming was, zoals de Engelsen zeggen.

Hoe dan ook, ik zou het erg op prijs stellen om weer contact met je te hebben. Het is zo'n tijd geleden en ik vind dat
je banden niet zomaar moet verbreken. We hadden zo'n hechte
band, lieve Agnes.

Vind je het goed als ik je schrijf? Dat ik wat vertel over mij
en de mijnen? En heb je zin om terug te schrijven?

Laten we met brieven beginnen en daarna verder kijken. Ik
heb een beetje moeite met e-mail, want dat is zo luchtig en op-
pervlakkig.

Laat het ook absoluut weten als je geen zin hebt om de oude banden weer aan te halen.

In hoopvolle afwachting van je antwoord,

je Henny

Henny Delgado
Pelikaanallé 24
Grothenburg

Gobshejm, 30 september

Lieve Henny,

Goeie genade, je klinkt alsof we tachtig zijn!
    Natuurlijk mag je schrijven en ik schrijf met alle plezier terug. Ik weet zeker dat we een hoop te bespreken hebben. Maar omdat jij degene bent die het initiatief heeft genomen, mag jij beginnen.
    Dus aarzel niet. Schrijf snel, alsjeblieft, we hebben negentien jaar in te halen!

Je Agnes

ALS JE MAAR LIEF en aardig bent, word je vroeg of laat beloond.

Het is de tweede dag in Grothenburg en hoewel ik nog maar een spichtige elfjarige ben, weet ik dat ze liegt.

Of misschien niet liegt. Het roodharige meisje, dat Henny heet en gisteren voordat we ook nog maar één doos hadden kunnen uitpakken al samen met haar moeder op bezoek kwam, heeft het allemaal niet goed begrepen. Het leven niet begrepen en hoe de dingen werken.

Maar ik ga er niet tegenin. Heb hier geen woorden voor met mijn jonge jaren. En het is trouwens ook niet belangrijk. Het is avond, we staan op de brug over de rivier en kijken het donkere water in. Onze moeders hebben ons op pad gestuurd voor een korte wandeling, zodat Henny me de buurt en de omgeving kan laten zien. Mijn moeder vertrouwt Henny onmiddellijk, ondanks haar gekoesterde en ingebakken wantrouwen.

En Henny heeft zich inderdaad welopgevoed en charmant gedragen, dat wil ik niet ontkennen.

En pruimenjam als welkomstgeschenk, zoals het goede buren betaamt.

Bijdehante lach en vrijmoedige blik.

Als je maar lief en aardig bent dus.

Ik weet niet meer wat ik antwoord, vermoedelijk niets. Via kleine weggetjes en kronkelpaadjes zijn we door de wijk gelopen. Het sportveld. De Hengerlaan richting het spoor. De winkels aan de Klingerweg. We zijn even binnengewipt bij slager Smytter, haar oom. Hij gaf ons een bleek worstje en wat geld; we kochten kauwgom in de tabakszaak op de hoek richting Zwille.

En toen naar de kerk en het kerkhof, waar we rondgeslenterd hebben en de graven hebben bekeken. De opa en oma van Henny liggen hier, en op een dag zal zij hier ook komen te liggen. Het is een degelijk en ruim familiegraf met plaats voor meerdere generaties.

Stumpstrasse, Gassenstrasse, Jacobssteeg, en hoe ze allemaal ook mogen heten. En de Wallmanskaschool, waar Henny al vijf jaar op zit en waar ik in september ook naartoe ga. Het is een oud, statig, stenen gebouw met een Latijns citaat boven de grote eikenhouten deur. *'Non scholae sed vitae discimus!'* declameert Henny. Daarna zeggen we het samen een paar keer, zodat ik het weet voordat we de schoolbanken in gaan om te luisteren naar meester Pompius, juffrouw Mathisen en een kromme, kleine handwerkjuf, die Keckelhänchen heet. Hoe verzin je het?

Non scholae sed vitae discimus.

Niet voor de school, maar voor het leven leren wij.

Maar nu hangen we dus over de reling van de brug. Hij heet de Karl Eggersbrug. Henny weet niet waarom die zo heet of wie Karl Eggers was, maar de rivier heet de Neckar. Hij omstroomt onze wijk, althans de noord- en oostkant, en markeert de grens met Gerringstadt, een heel andere wijk, waarvan Henny alleen weet dat haar neef Mauritz er heeft gewoond voordat hij naar Marseille aan de Middellandse Zee verhuisde vanwege zijn wankele gezondheid. Toch is hij doodgegaan, terwijl hij nog maar acht, bijna negen was. Dus eigenlijk wordt de Middellandse Zee nogal overschat.

Misschien was hij niet lief en aardig genoeg, denk ik bij mezelf. Maar dat zeg ik niet. In plaats daarvan spuug ik mijn kauwgom in het stromende water.

'Je mag geen kauwgom in het water spugen', zegt Henny. 'De vissen kunnen het in hun mond krijgen en stikken.'

Vissen kunnen helemaal niet stikken, denk ik bij mezelf, ze ademen toch niet.

Maar dat zeg ik ook niet.

Ik ben alleen met mijn moeder naar Grothenburg verhuisd. Mijn vader en mijn broer zijn op de Slingergasse in Saarbrücken blijven wonen. En hoewel Claus drie jaar ouder is dan ik en we zolang ik me kan herinneren met elkaar overhoop hebben gelegen, mis ik hem zo erg dat ik de eerste dagen pijn voel op mijn borst.

Op 1 juli kreeg ik te horen dat mijn ouders gingen scheiden en een maand later zijn we vertrokken. Ze hadden alles tot in detail gepland voordat ze het grote nieuws bekendmaakten. We zaten in restaurant Kraus; ik weet niet of het normaal is dat ouders hun kinderen mee uit eten nemen als ze willen vertellen dat ze gaan scheiden. Maar ze waren allervriendelijkst, zowel tegen elkaar als tegen Claus en mij, dat kan ik niet ontkennen. De beste vrienden van de wereld, maar het was nou eenmaal niet anders, zo gaat het soms in het leven en het tranendal, dat heb je niet in de hand, niets aan te doen dus. Ik bestelde het duurste wat ik op de menukaart kon vinden: zeetong met witte-wijnsaus en eerstelingen. Zonder morren gingen ze ermee akkoord.

Papa en Claus zouden in ons huis blijven, legden ze uit na het toetje: citroensorbet op een spiegeltje van wilde-frambozensaus met geglaceerde hazelnoten en poedersuiker. Dat was het beste met het oog op werk en school. Mama had al een nieuwe baan in Grothenburg, bij tandarts Maertens. En een appartement in de Wolmarstrasse. Vier kamers en een keuken, ik zou een eigen kamer krijgen met een tegelkachel en uitzicht op een park.

Dat mijn vader al bijna drie jaar een andere vrouw had, vertelde mijn moeder pas een paar weken later, toen we aan het pakken waren.

Ik heb tien dagen gehuild. Of in ieder geval heb ik me de eerste tien avonden in slaap gehuild. Toen ben ik opgehouden. Kreeg in plaats daarvan deze pijn op mijn borst. Net als nu wanneer ik aan Claus denk.

Ook iets in mijn buik. Die is helemaal van slag; de ene dag ben ik verstopt, de andere dag heb ik diarree.

Ik heb inderdaad een tegelkachel in mijn kamer, maar je

kunt er niet in stoken. Het rookkanaal is in de jaren vijftig dichtgemaakt, heeft de huismeester, meneer Winter, me uitgelegd. Er zitten kleine barstjes in en als er ook maar één vonkje zou ontsnappen, wordt het hele pand in een oogwenk in de as gelegd.

Ik denk bij mezelf dat het me niets zou kunnen schelen als heel Grothenburg in een oogwenk in de as zou worden gelegd. Ik wil hier niet wonen, ik haat deze stad. En als we bij een brand zouden omkomen, mama en ik, zou dat alleen maar een grote bevrijding zijn. Dan zou ik nooit naar die nieuwe school hoeven en nooit meer hoeven op te trekken met dat rare buurmeisje met haar belachelijke vlechten en bijdehante lachje.

Maar hier huil ik 's avonds ook niet. Ik heb alleen pijn op mijn borst en een raar gevoel in mijn buik.

Ze heet Else, trouwens, de nieuwe vrouw van mijn vader. Ze is al bij hen ingetrokken op de Slingergasse. Haar dochter heeft mijn oude kamer.

En het ergste is dat zij ook Agnes heet.

Agnes R.
Villa Guarda
Gobshejm

Grothenburg, 4 oktober

Lieve Agnes,

Dank voor je snelle antwoord en wat fijn dat je er niets op tegen hebt om op deze manier het contact weer aan te halen. Ik
weet niet of het te maken heeft met het feit dat de jaren voor-
bijvliegen, maar hoe je het ook wendt of keert, Agnes, we naderen de middelbare leeftijd. Ik word in februari veertig en
jij – ik weet het nog precies – op 1 mei. Herinner je je nog je
eerste verjaardag hier in Grothenburg, toen je dat dagboek
van me kreeg? Je zei dat je niet van plan was om er ook maar
één regel in te schrijven, maar op de eerste schooldag in september liet je me zien dat je al een nieuwe had moeten kopen.

Ik voel me niet oud – verre van – maar ik zie aan de meisjes
dat de tijd verstrijkt. Rea is nu elf, even oud als wij waren toen
we elkaar voor het eerst ontmoetten. Betty wordt in december
negen.

En David is afgelopen voorjaar zevenenveertig geworden.
Hij is eigenlijk de reden waarom ik je schrijf, maar daar kom
ik nog wel op terug. Later. Ik heb het gevoel dat ik via allerlei
omwegen en zijpaden pas tot de kern van de zaak kom. Zo
doen we dat soms toch, Agnes?

Over de begrafenis heb ik echter geen seconde geaarzeld. Toen ik de overlijdensadvertentie in de krant zag staan, wist ik meteen dat ik erheen moest. Niet vanwege je man natuurlijk – ik heb hem nooit gekend – maar omdat ik jou weer wilde zien. Ik heb in de loop der jaren veel nieuwe vriendinnen gekregen – ook mannelijke vrienden, hoor, begrijp me niet verkeerd – maar met de mensen die je uit je kindertijd kent hou je iets speciaals, vind je ook niet, Agnes? Hoeveel tijd er ook is verstreken en hoeveel water er ook naar de zee is gestroomd, er is iets wat ons bindt. Ik hoop dat je begrijpt wat ik bedoel, Agnes, en dat je er op dezelfde manier tegenaan kijkt. Al kon ik geen woorden vinden toen ik je zag.

Ja, David en ik hebben tegenwoordig een heel druk sociaal leven. Sinds hij hoofd televisietoneel is, worden we bedolven onder de uitnodigingen en hebben we minstens één keer per week mensen over de vloer. Maar het verveelt snel, Agnes, ach, wat verveelt het snel. Al dat geglimlach en al die begaafde causeurs en vertrouwelijkheden waar je niet om gevraagd hebt. Je hebt het gevoel dat het toneel je huis en je leven overneemt, terwijl je dat nooit gewild hebt. Het kruipt in je botten, onder je huid als het ware, zodat je het niet van je af kunt spoelen... Ik weet niet of je begrijpt wat ik bedoel, Agnes, misschien druk ik me onduidelijk uit.

Zelf heb ik al mijn toneelambities in de ijskast gezet toen David en ik trouwden. Hij vond één nar in de familie wel genoeg, en daarin geef ik hem gelijk. Ik heb nog maar weinig werkzame jaren gehad. Omdat we altijd genoeg geld hadden, ben ik bijna tien jaar thuisgebleven om voor de meisjes te zorgen. Maar sinds januari werk ik bij Booms & Kristev, dat advocatenkantoor in de Klingstrasse, ik weet niet of je het nog kent. Ik vertaal teksten voor ze naar het Frans en Italiaans. Niet echt gekwalificeerd werk, maar ik word goed betaald en ik ben blij dat ik de kennis kan gebruiken die ik ooit met veel pijn en moeite heb vergaard. Ook vind ik het uiteraard een fijn idee dat ik op eigen benen sta, mezelf kan onderhouden, mocht de nood aan de man komen.

Maar de meisjes zijn alles voor me, Agnes, laat dat duidelijk zijn. Voorzover ik weet heb jij geen kinderen; ik weet niet of dat een bewuste keuze is geweest of dat het een natuurlijke oorzaak heeft, om het zo maar te zeggen. Mensen zijn verschillend en iedereen is gelukkig op zijn manier, zoals onze oude docent Nygren placht te zeggen. Herinner je je hem nog? Hij kwam toch uit Zweden of Noorwegen?

Rea en Betty zijn heel verschillend, terwijl ze dezelfde vader en moeder hebben en onder dezelfde omstandigheden zijn opgegroeid. Rea is secuur, praktisch en ambitieus, Betty is een dromer. Bijna als twee kanten van dezelfde munt, of als yin en yang, ook al zijn het allebei meisjes. En ik hou van beiden evenveel, misschien juist omdat ze met zijn tweeën zijn en elkaar zo goed aanvullen. De afgelopen dagen zag ik ineens dat ze op jou en mij leken, Agnes. Zoals wij zijn, of in ieder geval toen waren. Jij bent Rea natuurlijk en ik ben Betty. Opmerkelijk, hè, hoe het leven in lange, uitgerekte ellipsbanen kan verlopen en hoe je soms zo'n beangstigend sterk déjà vu kunt hebben dat je weer in hetzelfde toneelstuk zit.

We wonen op een grote etage aan de Pelikaanallé, pal naast de Paulskerk. We hebben vaak overwogen om een huis te kopen, maar het bevalt ons goed hier, en de school van de meisjes ligt op een steenworp afstand. Bovendien hebben we ook nog het ouderlijk huis van David in de bergen, vlak bij Berchtesgaden. We delen het weliswaar met zijn broer en schoonzus, maar die wonen in Canada en zijn maar een paar weken per jaar hier.

Ik merk dat ik in deze eerste brief erg lang stilsta bij mezelf en de mijnen. Dat was ik niet van plan, maar dat is misschien ook niet zo vreemd. Zoals ik al even aanstipte, is er een kwestie van beduidend specifiekere aard, maar die moet maar tot de volgende keer wachten. Het is al na twaalven. David is uit met wat filmlui. Ze werken aan een grote productie van een paar toneelstukken van Pirandello, als ik het goed begrepen heb. De meisjes slapen en ik heb een paar uur in onze bibliotheek zitten schrijven en nadenken. Heb ook drie glazen wijn gedronken, dat moet ik bekennen, maar morgen is een gewone werkdag, dus het wordt tijd om af te ronden.

Sorry dat ik zo uitweid, lieve Agnes. Voel je alsjeblieft niet verplicht om net zo lang van stof te zijn; met een paar regels maak je me al heel blij. Ik beloof je dat ik de volgende keer wat bondiger zal zijn. Ik wil graag weten hoe het met je gaat. Ben je alleen maar verdrietig nu je je levensgezel verloren bent of voel je ondanks het gemis ook een vleugje bevrijding? Je weet dat het huwelijk vaak vergeleken wordt met een kooi, waar men óf in óf uit wil? Ik hoop dat je beseft dat je over dit soort dingen even vrijmoedig en openhartig kunt zijn als we vroeger waren.

Maar nu moet ik naar bed.

Het allerbeste en schrijf me snel!

Was getekend,
je Henny

Henny Delgado
Pelikaanallé 24
Grothenburg

Gobshejm, 7 oktober

Lieve Henny,

Bedankt voor je lange brief. Ik heb hem – dat kan ik je verzekeren – met veel genoegen gelezen. Vertel maar zoveel je wilt.
Bij ons is het met woorden altijd zo geweest: jij gebruikte er
honderd waar ik er met tien toe kon.

En je moet niet denken dat ik je niet begrijp, ook al kom je
niet tot de kern van de zaak. Ik vind het heel fijn om weer iets
van je te horen. Als het goed is zitten we nu op de helft van
ons leven. Met dat gegeven en de dood van Erich in mijn ach-
terhoofd lijkt me dit een goed moment om te kijken waar ik
sta.

Ik heb over mijn leven niet zoveel te vertellen als jij, want
ik heb geen gezin. Erich had immers al volwassen kinderen
toen we elkaar leerden kennen. En we hebben al snel besloten
om er niet nog meer op deze bedenkelijke wereld te zetten.
Sinds acht jaar – toen ik klaar was met mijn proefschrift –
werk ik op de universiteit in H-berg. Dat is hier maar zeven,
acht kilometer vandaan. De academische wereld beviel me
vanaf het allereerste moment uitstekend. De laatste semes-
ters heb ik de colleges mogen geven die me het meest na aan

het hart liggen: over de romantiek en de Engelse negentiende-eeuwse roman. En net als jij, lieve Henny, heb ik het gevoel een taak te hebben in mijn leven, al zal ik nooit kinderen krijgen en op die manier de familie voortzetten.

Erich heeft dit fijne huis bij Molnar gehouden na de scheiding van zijn vorige vrouw, en sinds ons trouwen wonen we hier. Het is een charmante, oude stulp van hout en pommersteen met een verwilderde tuin en uitzicht op de rivier. Mijn enige zorg voor de toekomst is hoe ik dit huis kan houden. De kinderen van Erich, Clara en Henry, hebben vanzelfsprekend recht op de helft van de erfenis. God mag weten hoe ik hen moet uitkopen. Ik weet niet of je hen bij de begrafenis hebt gezien. Henry is lang, donker en arrogant. Clara loopt een beetje voorovergebogen, heeft peper-en-zoutkleurig haar en is minstens tien kilo te zwaar. Ze zaten op de voorste bank in de kerk, maar niet aan dezelfde kant van het middenpad als ik. Eerlijk gezegd heb ik net zo'n grote hekel aan hen als zij aan mij, maar ik vind vast wel een oplossing voor dit probleem. Het verbaast me dat ze nog niets van zich hebben laten horen in verband met de erfenis. Er zijn al twee weken verstreken sinds de boedelbeschrijving, maar er gaat niets gebeuren voor ik een gesprek heb gehad met een gerenommeerd advocatenkantoor.

Verder sla je de spijker op zijn kop: ik voel inderdaad een vleugje rust en opluchting sinds Erichs dood. Als je met iemand trouwt die zoveel ouder is dan jij, ontkom je eigenlijk niet aan de angst om alleen achter te blijven (het beroep van arts is geen garantie voor een lang leven; integendeel, denk ik). Misschien moet ik er maar dankbaar voor zijn dat het nu gebeurt, nu ik veertig ben, en niet als ik vijftig of zestig ben. Je hebt ook helemaal gelijk dat we de middelbare leeftijd naderen, Henny, maar we hebben nog steeds veel te bieden en veel om voor te leven, vind je niet?

Je schrijft dat je een bepaalde reden hebt, een specifieke bedoeling, om deze briefwisseling te beginnen en dat het op de een of andere manier met je man te maken heeft. Ik moet toegeven dat het me nogal nieuwsgierig maakt en daarom wil ik je vragen om niet meer 'zo typisch vrouwelijk om de hete brij heen te draaien', maar om terzake te komen in je volgende brief, die naar ik hoop niet al te lang op zich laat wachten.

Met dit verzoek beëindig ik deze brief. Het is tijd voor mijn avondwandeling met de honden. Ik heb twee slanke, krachtige Rhodesian Ridgebacks. Ik heb nog niet besloten of ik ze hou. We hebben ze nu vijf jaar en ik ben dol op ze, maar ze hebben ontegenzeglijk veel tijd en aandacht nodig. Zoals nu bijvoorbeeld.

Maar zoals ik al schreef, lieve Henny, laat snel van je horen. Ik wacht met spanning af.

Hartelijke groeten,
je Agnes

DE SCHOOL HEET DE Wallmanskaschool, naar J.S. Wallman, die honderdvijftig jaar geleden tijdens een oorlog is omgekomen. In de klas zitten vijfentwintig leerlingen. Ik en een zenuwachtig jongetje dat Dragoman heet, waren nieuw aan het begin van het schooljaar. Twee kinderen waren verhuisd, en juffrouw Zimmermann zei dat het goed was dat wij de lege plaatsen kwamen opvullen.

Ik en Henny zijn de besten van de klas, samen met Adam, die een bril draagt met brillenglazen zo dik als flessenbodems. Hij las al toen hij in de wieg lag en daarmee heeft hij zijn ogen verpest. Henny en ik trekken weleens met hem en zijn neef Marvel op, die ook bij ons in de klas zit. Marvel hoort bij de leerlingen die altijd de laagste cijfers voor proefwerken halen, vooral voor wiskunde en spelling, maar hij is groot en sterk en hij komt goed van pas als het tot een handgemeen komt.

Ik heb het best naar mijn zin op school. Met kerst kreeg ik de hoofdrol in een toneelstuk over Envar Främling. Juffrouw Zimmermann zei dat ik acteertalent had en ik probeer niet te veel aan mijn vader en broer in Saarbrücken te denken. De hele herfst en winter ben ik maar twee keer bij hen op bezoek geweest en mijn broer is op een middag een paar uur bij ons thuis geweest toen hij op doorreis was naar een scoutingkamp in Ravensburg. Het is een beetje raar om zo weinig contact met hen te hebben, maar nog vreemder is het dat het me eigenlijk niets doet.

Mijn moeder werkt vrij veel. Tandarts Maertens heeft zijn praktijk op de Gerckmarkt. Ik ben bij hem geweest om twee gaatjes te laten vullen. Ik mocht hem niet. Hij maakt domme grapjes en is ongelooflijk behaard. Hij heeft zwarte, borstelige wenkbrauwen en als je in de stoel ligt, zie je dat zijn neusgaten zo dichtgegroeid zijn dat je niet snapt hoe hij nog kan ademhalen.

Henny's moeder is de afgelopen maanden vaak ziek geweest en we hebben een aantal middagen op haar broertje Benjamin gepast, een snotterig, zesjarig jongetje dat nooit tevreden is en de hele tijd zit te jammeren. Eén keer zijn we hem kwijtgeraakt in het Mindepark. Het was koud en het regende en we hebben uren naar hem gezocht. Toen het donker werd en we hem nog steeds niet hadden gevonden, begon Henny te huilen en zei dat ze het zichzelf nooit zou vergeven als Benjamin dood was. Ze bazelde dat ze zichzelf 'van kant zou maken door voor een trein of in de Neckar te springen'. Maar toen ze op haar knieën in de zandbak van de speeltuin zat waar we Benjamin voor het laatst hadden gezien – en tot God aan het bidden was – dook hij plotseling op. Benjamin dus, niet God. Hij was snotteriger en jankeriger dan ooit en zijn T-shirt, dat hij die ochtend schoon had aangedaan, was gescheurd.

'Als je maar je best doet en je lot in Gods handen legt, komt alles goed', zei Henny en ze omhelsde haar vieze, natte broertje.

Ik zei niets, was op zich blij dat hij weer terecht was, dat scheelde een hoop gedonder. Maar om eerlijk te zijn kan ik niet zeggen dat ik hem gemist zou hebben als hij op de een of andere manier verongelukt zou zijn.

Half mei, twee weken na mijn twaalfde verjaardag en twee dagen na mijn eerste menstruatie, doe ik een afschuwelijke ontdekking.

Mijn moeder heeft een verhouding met haar baas, tandarts Maertens. Ik kwam hen toevallig tegen terwijl ze hand in hand het restaurant Pomador in de Glockstrasse uit kwamen. Ik liep vrijwel recht in hun armen en ze geneerden zich vreselijk. We zeiden alleen 'oeps' en 'hallo', waarna ik doorliep naar de bibliotheek op het Wollmarplatz, waar ik op weg naartoe was. Maar toen ik twee uur later thuiskwam, vertelde mijn moeder hoe het zat. Ze zei dat ze net kennis aan elkaar hadden. Ze zei echt 'kennis aan elkaar', iets wat ik ouderwets en belachelijk vind klinken. Zo oud is ze nou ook weer niet.

Ik zeg tegen mijn moeder dat ik tandarts Maertens afschuwelijk vind en wijs haar op het feit dat ze minstens dertig jaar jonger dan hij moet zijn. Mijn moeder wordt boos en zegt dat Maertens een heel sympathieke en beschaafde man is en dat hij nog geen vijftig is.

En dat ze wel een beetje geborgenheid kan gebruiken nadat ze haar halve leven heeft vergooid aan zo'n schuinsmarcheerder als mijn vader.

Ik herhaal dat ik Maertens weerzinwekkend vind en sluit me op in mijn kamer. Als mijn moeder een halfuur later op mijn deur klopt, knip ik het licht uit en doe alsof ik slaap.

Besloten wordt dat Henny en ik een groot deel van de zomervakantie samen gaan doorbrengen. Henny's oom en tante hebben een groot huis aan het meer van Lagomar, waar we een eigen kamer op zolder krijgen. Behalve haar oom en tante zijn daar ook twee neven en een nichtje. Een jongenstweeling van onze leeftijd en een meisje van een jaar of vijf, zes. Ik weet eigenlijk niet of ik wel zin heb om naar Lagomar te gaan, maar voorzover ik weet heb ik weinig keus. Ik protesteer niet en Henny lijkt naar het hele gebeuren uit te kijken. Als we de laatste schooldag onze cijfers vergelijken, blijken we precies hetzelfde gemiddelde te hebben. Adam is enkele tienden beter en we zijn het erover eens dat dat komt omdat hij een jongen is en een bril draagt.

De avond voordat we met de bus naar Lagomar gaan, rook ik samen met Henny, Adam en Marvel mijn eerste sigaret. We liggen achter een bosje in het Mindepark en Henny wordt zo misselijk dat ze overgeeft op Marvels broek, die hij speciaal voor de laatste schooldag aanhad. Marvel rookt twee sigaretten. Hij zegt dat hij zich geweldig voelt door de tabak en dat het hem geen reet kan schelen als we allemaal over zijn broek heen zouden kotsen. Hij heeft de slechtste cijfers van de klas en moet de hele zomer blokken om het jaar niet over te hoeven doen. Als Adam naar huis is gegaan, vraagt Marvel aan Henny en mij of we zijn piemel willen zien. Henny zegt dat het haar niets uitmaakt en ik zeg: 'Oké.' Hij knoopt zijn gulp open en haalt hem eruit, legt uit dat hij er zo uitziet omdat hij besneden is, waarna Henny en ik hem bedanken dat we een kijkje mochten nemen.

Agnes R.
Villa Guarda
Gobshejm

Grothenburg, 12 oktober

Lieve Agnes,

Bedankt voor je brief, ik heb hem met veel belangstelling gelezen. Fijn om te horen dat je werk goed bevalt en dat je de
dood van je man zo rustig lijkt op te nemen. Vroeger hield je
je hoofd ook altijd koel, je liet je niet meesleuren in een maal-
stroom van gevoelens, en het lijkt erop dat je deze goede ei-
genschappen hebt weten te behouden. In welke mate ikzelf
de voorbije jaren ben veranderd, kan ik natuurlijk niet met
honderd procent zekerheid zeggen, maar soms heb ik het idee
dat ik diep vanbinnen dezelfde persoon ben als die twaalf-,
vijftien- of achttienjarige. Mocht het na verloop van tijd zover
komen dat we elkaar weer ontmoeten, dan zul je snel genoeg
zien of ik gelijk heb of niet. Krijg ik het jonge meisje in jou
dan ook te zien, Agnes?

Maar ik wil nog niet oog in oog met je komen te staan,
lieve vriendin. Om dit te verduidelijken moet ik nu ingaan
op de speciale kwestie waar ik het in het begin van onze briefwisseling over had en die nog steeds in hoge mate speelt. Omdat je er zo bij me op aandringt om de reden voor onze correspondentie niet nodeloos voor me te houden en om zo snel

mogelijk terzake te komen, raap ik al mijn moed bijeen en haal ik twee keer diep adem. Ik hoop dat ik je niet al te erg laat schrikken, maar dat risico moet ik nemen; ik kan het niet langer uit de weg gaan.

Zoals ik al zei gaat het over David. Je weet dat we op dit moment bijna achttien jaar getrouwd zijn. Een paar weken na *King Lear* heeft hij me al een aanzoek gedaan. In juni hebben we ons verloofd en in november van hetzelfde jaar zijn we getrouwd. Ja, dat kan je uiteraard niet ontgaan zijn. We hebben mooie jaren gehad samen, David en ik. Nu ik erop terugkijk besef ik dit... althans, de eerste tien jaren. Ik weet — dat hoef je niet te ontkennen, lieve Agnes — dat je me soms ongehoord naïef en goedgelovig vond. Ik herinner me veel van onze gesprekken en meningsverschillen. Jij geloofde niet in de voorzienigheid en de positieve stromen in het leven, zoals ik. Dat we weinig meer kunnen doen dan naar ons beste vermogen handelen en de consequenties daarvan maar moeten aanvaarden, welke dat ook mogen zijn.

Dat we moeten vertrouwen op het goede. In het begin praatten David en ik vaak over dit soort dingen. Toen we elkaar eeuwige trouw beloofden, waren dat geen loze woorden, het was geen nietszeggend ritueel. Het was ernst. We hadden ervoor gekozen om de rest van ons leven met elkaar en onze toekomstige kinderen door te brengen. Aan de liefde mag niet getornd worden, noch door gebeurtenissen noch door de tand des tijds. Zo simpel is het en tegelijkertijd zo moeilijk.

Maar nu is het dan gebeurd. Door omstandigheden, waarop ik nu niet verder wil ingaan, weet ik dat David een andere vrouw heeft. Ik weet niet wie ze is en het interesseert me ook niet. Maar David heeft mij, onze kinderen en ons liefdesverbond verraden en ik ben niet van plan om me daarbij neer te leggen. Hoe lang deze verhouding al duurt weet ik niet precies, maar op zijn minst zes maanden en vermoedelijk twee keer zo lang. David houdt het uiteraard voor zich en ik geef ook geen sjoege. Met geen woord of blik laat ik merken dat ik weet wat hij achter mijn rug om uitvoert. Ik ben niet van plan om het probleem op te lossen door hem te confronteren of terecht te wijzen: het oeroude en trieste toneelstuk van de betrapte man en de gekrenkte en bedrogen echtgenote. Ik heb de afgelopen maanden alle mogelijke en onmogelijke oplossingen overwogen, waarbij ik steeds het beste met mezelf en mijn dochters voor had. En, lieve Agnes, er is geen twijfel mogelijk. David moet sterven.

Ik begrijp heel goed dat je nu even moet slikken en met een bonzend hart de laatste regels nog een keer leest. Misschien leg je de brief wel opzij en staar je leeg voor je uit. Schud je je hoofd en wrijf je over je rechterslaap, zoals je vroeger altijd deed als je ergens diep over nadacht.

Maar het heeft geen zin. De woorden staan er en mijn besluit staat vast. Mijn man moet sterven. Hij verdient het niet om verder te leven, en wat je ook doet, Agnes, probeer me niet op andere gedachten te brengen.

Tegen het volgende mag je wat mij betreft echter — uiteraard — zoveel inbrengen als je wilt. Want ik heb je hulp nodig.

Nee, leg de brief alsjeblieft niet weg, Agnes! Doe me een plezier en lees hem in ieder geval uit. Ongeacht wat jij ervan vindt, ga ik ervoor zorgen dat David in een niet al te verre toekomst zal komen te overlijden. Op welke manier dan ook. Ongeveer een jaar geleden heb ik een misdaadroman gelezen, ik weet niet meer hoe de schrijver heet, maar ik geloof dat het een Amerikaan was. Het boek ging over twee onbekenden die elkaar in een trein ontmoeten. Als ze met elkaar aan de praat raken, komen ze tot de ontdekking dat ze er beiden bij gebaat zouden zijn als iemand in hun naaste omgeving zou komen te overlijden. Ieder zijn eigen slachtoffer dus. Het bewuste familielid gewoon uit de weg ruimen kan echter niet zomaar, omdat zij daar dan onmiddellijk van verdacht zouden worden. Maar dan komen ze op het idee om te ruilen van slachtoffer. *Crisscross* noemen ze het. A neemt de taak op zich om de vrouw van B te vermoorden, en B gaat het rijke familielid van A van het leven beroven.

Volg je me nog, Agnes? Toen ik na begon te denken over het verraad van David en het associeerde met het crisscrossidee, moest ik aan jou denken. Ik kan je weliswaar geen soortgelijke wederdienst bewijzen (neem ik aan), maar waar het om gaat is dat David door iemand buiten mijn kennissenkring wordt vermoord, terwijl ik me op een andere plaats bevind en daarmee een waterdicht alibi heb. Dat is alles. En ik beloof je ruimschoots te belonen voor je inspanningen. In je laatste brief schrijf je dat je je zorgen maakt of je wel in het huis van Erich kunt blijven wonen. Geloof me, Agnes, hon-

derdduizend is geen probleem voor mij. En mocht je meer nodig hebben, dan is dat altijd bespreekbaar.

Ik merk dat ik weer breedsprakig begin te worden. Inmiddels zal het je duidelijk zijn wat ik van je vraag. Ik heb nog
niet nagedacht over de manier waarop het moet gebeuren en
dat soort dingen... komt tijd, komt raad, denk ik altijd maar.
Ik wacht je reactie echter met spanning af, dat zul je begrijpen. Ik wil je dringend vragen om een paar dagen over mijn
voorstel na te denken. En mocht je voorlopig ja zeggen – wat
ik met heel mijn hart hoop – dan betekent dat natuurlijk niet
dat je er later niet op mag terugkomen. Absoluut niet. Het enige wat ik op dit moment vraag, is of je de kwestie met me wilt
bespreken. Hypothetisch en volledig vrijblijvend, zoals dat
heet.

Dus, lieve Agnes, denk er maar eens goed over na en laat
het me dan weten. Ongeacht je reactie ben en blijf ik

je trouwe vriendin,
Henny

Henny Delgado
Pelikaanallé 24
Grothenburg

Gobshejm, 19 oktober

Lieve Henny,

Ik heb je laatste brief inmiddels tien keer gelezen en ik weet nog steeds niet of ik mijn ogen moet geloven.

Wat je voorstelt is zo vreselijk weerzinwekkend dat ik er geen woorden voor heb. Ik betwijfel eerlijk gezegd of je wel bij je volle verstand bent. Ik heb de hele avond nagedacht over de manier waarop ik mijn reactie zou moeten formuleren, maar ik heb geen aanvaardbaar alternatief kunnen bedenken.

Daarom vraag ik je om een verhelderende brief te schrijven, waarin je óf afstand neemt van je voorstel óf uitlegt wat je in hemelsnaam bedoelt en waarom je jezelf überhaupt wijsmaakt dat ik me zou lenen voor zoiets volslagen absurds als wat jij beschrijft.

Met vriendelijke groet,
Agnes

HET ZOMERHUISJE AAN HET meer van Lagomar blijkt eigenlijk uit drie huisjes te bestaan. Ze staan op een open plek aan de rand van het bos, met een grasveld dat schuin afloopt naar het meer, met een eigen gouden zandstrand. Niet langer dan dertig, veertig meter weliswaar, maar toch.

In het grootste huisje slapen meneer en mevrouw Karminen en de zesjarige Karen. Meneer Karminen heet Werner van zijn voornaam, maar hij wordt meestal de Chocoladekoning of kortweg de Koning genoemd, want hij heeft een bedrijf dat chocoladebonbons maakt, en al na twee dagen hoeven we niet meer.

Meneer Karminen is er alleen in de weekenden, 's avonds en 's nachts. 's Morgens vroeg neemt hij de blauwzwarte Rover naar Schwingen en zet hij de hele chocoladeboel in gang. Mevrouw Karminen heet Sofie; zij is wat je noemt een droevige schoonheid, geloof ik. Ze heeft een wespentaille en dik, lang haar in bijna dezelfde kleur als de Rover. Ze ligt vrijwel de hele dag op een ligstoel in de schaduw boeken te lezen en met een gouden mondstuk dunne cigarillo's te roken. Karen krijgt iedere dag bezoek van een andere zesjarige van een boerderij uit de buurt. Urenlang hangen ze rond aan de rand van het meer en ze doen hun best om zo vuil mogelijk te worden.

In een kleiner, hoger gelegen huis aan de rechterkant slapen ik, Henny en een soort familielid. Ze heet Ruth. Ruth is een jaar of dertig, volgens mij is ze een tikje achterlijk, en het enige wat ze doet is eten koken en opruimen. 's Avonds, als de Chocoladekoning terugkomt uit Schwingen, eten we met de hele bups samen aan een lange tafel voor het middelste huis. Ruth heeft dan altijd gekookt en doet daarna de afwas. Maar daar zit ze niet mee; ze zingt de hele dag, behalve tijdens het eten, smachtende liederen en lijkt over het algemeen tevreden met haar bestaan.

In het huisje links, dat evenals het onze alleen uit een kamer en een piepklein keukentje bestaat, slapen de tweelingneefjes Tom en Mart. Ze zijn dertien jaar oud en meteen is het me duidelijk dat zij de zomer draaglijk gaan maken.

Uiterlijk zijn ze vrijwel identiek. Lange, magere jongens met kortgeknipt, donker haar en brutale ogen. De eerste dagen weet ik niet wie wie is, maar dan merk ik dat Mart iets heeft wat Tom niet heeft. Iets ongrijpbaars, ik kan niet goed verklaren wat het is. Maar als ze op een avond vertellen dat Mart twintig minuten ouder is dan Tom, begrijp ik dat dát het is. Hij is gewoon de oudere broer, weegt waarschijnlijk een kwart kilo meer en is ook een halve centimeter langer. Niet alleen deze zomer, maar hun hele leven al. Ik weet niet waarom zulke futiliteiten zo belangrijk zijn, maar tegelijkertijd weet ik dat ze het zijn. Ik begin het een en ander te leren.

'Wie vind jij het leukst?' vraagt Henny op een avond als we al in bed liggen maar Ruth het licht nog niet heeft uitgedaan.

'Tom of Mart?'

'Weet ik niet', zeg ik.

'Je móét antwoord geven', zegt Henny. 'Als je met een van de twee moest trouwen, wie zou je dan kiezen?'

'Mart', zeg ik dan.

'Mart is van mij', zegt Henny. 'Jij moet Tom maar nemen.'

'O ja?' zeg ik. 'Nou, voor mijn part trouw je met allebei.'

Ik meen niets van wat ik zeg. Integendeel, dit is een zaak van leven en dood, dat weet ik, en ik lig nog ruim een uur wakker om een plan te bedenken.

Een paar dagen later heb ik Mart voor mezelf als we wormen aan het steken zijn omdat we gaan vissen. Ik zeg tegen hem dat Henny me in vertrouwen heeft verteld dat ze gek is op Tom, en Mart niet ziet zitten.

Mart reageert niet, maar hij kijkt stuurs voor zich uit en krijgt een waterige blik in zijn ogen, en ik zie dat mijn woorden hem diep hebben geraakt. In stilte hakken we onze schoppen nog een tijdje in de grond.

'Maar ik vind jou leuker', zeg ik. 'Veel leuker.'

Hij stopt even en kijkt naar me terwijl hij zijn ogen half dichtknijpt.

'Kom eens hier', zegt hij en hij gooit zijn schop aan de kant.

Dan kust hij me zo hard en ruw dat ik bijna in ademnood raak.

Later op de boot ziet Henny dat mijn lip op één plek gezwollen is en ze vraagt hoe dat is gekomen. Ik zeg dat ik geen idee heb, maar ik hoef maar één blik op Mart te werpen en ze weet het. Ik merk het aan haar: haar lichaam beweegt zich stijf en ongemakkelijk. Mijn lichaam voelt echter heel goed: onrustig en fijn. Ik steek het puntje van mijn tong uit en lik voorzichtig over de plek.

We zijn altijd samen, met zijn vieren. 'Het ondeugende viertal' noemt de Chocoladekoning ons. 'Zo, wat heeft het ondeugende viertal vandaag weer uitgevreten?' vraagt hij iedere avond als we aan tafel zitten.

We geven nooit antwoord, want dat wordt duidelijk niet van ons verwacht. We wisselen alleen blikken uit, glimlachen verbeten en samenzweerderig.

Bovendien richten we niet bepaald veel schade aan. We gaan onze eigen gang. We zwemmen en vissen en spelen. We fietsen naar het dorp om een ijsje te eten. We bouwen een hut, al zijn we daar eigenlijk veel te oud voor. En op een dag bouwen we een vlot met twee lege tonnen en een heleboel planken die we onder een zeildoek achter het linkerhuisje vinden.

Niemand van ons benoemt het feit dat Mart en ik samen zijn. Hij kust me nooit meer, maar toch is het duidelijk. Het blijkt uit de manier waarop we elkaar altijd opzoeken als we kaarten, badmintonnen, met de boot het meer op gaan of naar het dorp fietsen. Of als we gewoon wat lopen te kletsen.

En Henny stelt dé vraag niet meer. Ik weet dat zij het weet

en zij weet dat ik het weet. Maar door het uit te spreken, benoem je het en erken je je verlies, en dat zou nooit bij Henny opkomen. Bij mij evenmin. In plaats daarvan doen we allebei alsof onze neus bloedt, en zij is daar echt een meester in, Henny. Soms heb ik het idee dat ze ergens op zit te broeden, dat ze 's nachts, lang nadat Ruth het licht heeft uitgedaan en met haar puffende gesnurk is begonnen, in haar bed ligt te malen over een plan waar ik eigenlijk achter moet zien te komen.

Maar er gebeurt niets. Tot op een nacht in de laatste week, als de dagen korter en de nachten iets donkerder worden. Het is half augustus, we hebben besloten om er stiekem tussenuit te knijpen als de volwassenen slapen. We pakken worstjes en frisdrank en roeien naar het Eiland van Sort om te gaan barbecuen.

Het eiland is rond en ligt op tien minuten roeien van het vasteland. Het is zo'n honderd meter in omtrek en er groeit, vreemd genoeg, slechts één enkele boom. Het is een grote eik, die vernoemd is naar een zekere Andreas Sort, die er zich halverwege de negentiende eeuw na een onfortuinlijke liefdesgeschiedenis aan opgehangen heeft. Het meisje in kwestie heette Blanche en schijnt zichzelf kort daarna verdronken te hebben.

Aanvankelijk loopt alles die nacht volgens plan, maar om de een of andere reden hebben we het vuur iets te hoog opgestookt, waarna het zich een weg baant naar de kremtebessenstruik onder de eik, die vlam vat. We proberen het vuur natuurlijk te doven, maar al snel verspreidt het zich over het hele eiland. Het enige wat we kunnen doen is de boot in springen en wegvaren over het water.

Al deinend kijken we toe hoe de eik van Sort afbrandt in de zoele nacht. Ik denk bij mezelf dat ik mijn hele leven nog nooit zoiets heftigs heb gezien. Het is ook nog volle maan, een grote, gele augustusmaan, die boven de bosrand is verschenen. Maar Henny begint te huilen. Tom neemt haar in zijn armen, waarna ze nog harder begint te huilen omdat het niet Mart is die dat doet. Mart laat zijn hand in plaats daarvan onder een deken in de mijne glijden en we roeien pas weer naar huis als het hele eiland dood en donker is.

Ook die nacht kust Mart me niet, maar ik voel aan zijn warme, kloppende hand dat hij dat heel graag zou willen. En nog iets anders vermoedelijk.

De volgende ochtend zegt Ruth bij het ontbijt dat het die nacht geonweerd moet hebben omdat de eik van Sort door de bliksem is getroffen en hij samen met de rest van het eiland is afgebrand.

Maar niemand heeft het horen onweren, wat een beetje vreemd is.

We zijn moe en stil die dag; hij gaat als het ware voorbij zonder indrukken achter te laten. De volgende ochtend rijdt de Chocoladekoning ons naar het busstation in Schwingen, en terwijl Henny en ik heen en weer schuiven op het gladde leer van de achterbank, lijkt het alsof we toch nader tot elkaar zijn gekomen. Alsof de zomer ons iets heeft geleerd, zowel over het leven als over onszelf.

Dat alles misschien niet is zoals het zou moeten zijn en dat je je maar het best kunt aanpassen aan de omstandigheden. Of iets in die trant. We praten er in de Rover niet over, want de Koning is de hele tijd aan het woord. En ook niet tijdens de zweterige busreis terug naar Grothenburg. Maar twee dagen later, als we met Benjamin in het park zijn, zegt Henny: 'Weet je wat ik denk? Ik denk dat we zusjes waren toen we geboren werden.'

'O ja?' zeg ik.

'Maar dat we in de kraamkliniek op de een of andere manier uit elkaar zijn gehaald. Ik heb nog nooit zo'n goede vriendin gehad als jij.'

Ik zeg dat ik gelezen heb dat er in ziekenhuizen veel fouten worden gemaakt, en om het zekere voor het onzekere te nemen mengen we, later die avond, elkaars bloed.

Agnes R.
Villa Guarda
Gobshejm

Grothenburg, 27 oktober

Lieve Agnes,

Bedankt voor je antwoord. Ik weet niet precies welke reactie ik had verwacht, maar wellicht deze. Ondanks alles.

Ik kan echter weinig toevoegen aan dat wat ik in mijn vorige brief heb geschreven, ben ik bang. Maar ik kan je twee dingen verzekeren: ik ben bij mijn volle verstand en ik ben van plan om mijn voornemen uit te voeren. Ik vertrouw erop dat je je in ieder geval zodanig met me verbonden voelt dat je mijn plannen voor je houdt. Als je me niet wilt helpen is dat jouw zaak. Maar ik zou het op prijs stellen als je me zo snel mogelijk laat weten of je überhaupt interesse hebt om het te bespreken. Puur zakelijk en hypothetisch natuurlijk. Je hoeft absoluut niet het gevoel te hebben dat je je vastlegt, dat kan ik niet genoeg benadrukken.

Wat betreft de financiële kant van de zaak blijf ik bij honderdduizend. Ik weet zeker dat ik voor een aanzienlijk lager bedrag een professionele handlanger zou kunnen inhuren. Maar zoals je wellicht hebt begrepen, acht ik een dergelijke oplossing beneden mijn waardigheid.

Enfin, dit wordt geen lange brief. Je wilde een bevestiging en die heb je nu gekregen. Laat snel van je horen, Agnes, en laat me weten wat je ervan vindt.

Je vriendin Henny

Henny Delgado
Pelikaanallé 24
Grothenburg

Gobshejm, 30 oktober

Lieve Henny,

Soms is het bijna komisch hoe dingen kunnen samenvallen. Gisteren kreeg ik twee brieven. De ene was van jou, de andere van het advocatenkantoor Klinger & Klinger in München. Ik heb contact opgenomen met mijn eigen advocaat hier in Gobshejm, meneer Pumpermann. Vanmiddag heb ik ruim een uur lang de situatie met hem doorgesproken, en het is duidelijk dat ik er financieel niet zo best voor sta. Nee, begrijp me niet verkeerd, natuurlijk kan ik wel rondkomen, en zelfs meer dan dat. Maar als ik mijn geliefde huis wil houden zijn er ontegenzeglijk wat financiële herschikkingen nodig.

Zo praat hij, advocaat Pumpermann: financiële herschikkingen! Hij vermijdt behendig de dingen bij de naam te noemen. Misschien is het wel beroepsdeformatie. Wat hij bedoelt, is simpelweg dat er te weinig geld is. Toen ik hem vroeg om hoeveel geld het ging, trok hij zijn voorhoofd in een frons en zei ernstig dat de situatie er met tachtig- tot negentigduizend ongetwijfeld een stuk gunstiger uit zou zien.

Dus, lieve Henny, nadat ik een paar uur lang samen met jouw brieven en vier (vijf?) glazen port in mijn comfortabele fauteuil heb zitten wikken en wegen – de honden onder hun kin gekrabd, veel te veel sigaretten gerookt en aan vervlogen tijden gedacht – schrijf ik je nu over de specifieke kwestie, zoals jij het noemt, en… ach, laten we de zaak in ieder geval bespreken.

Dat kan toch geen kwaad?

Was getekend in aller haast,
je Agnes

TANDARTS MAERTENS IS DOOD.

Op een regenachtige ochtend in januari is hij overleden nadat hij vijf dagen in het ziekenhuis in coma had gelegen. De oorzaak van de coma was een merkwaardige val van de trap in ons huis. Hij was die avond bij mijn moeder geweest, ze hadden gegeten en wijn gedronken. Toen hij van de trap af liep maakte hij op de een of andere manier een misstap en viel voorover. Omdat er toevallig iets mis was met de elektriciteit was het pikdonker in huis.

Er kwam een onderzoek naar de omstandigheden rond zijn dood, maar daar kwam niets uit, behalve dat de beste tandarts zijn nek en rechterduim had gebroken.

Tegen Pasen, dat dit jaar half april valt, lijkt mijn moeder over haar verdriet heen. Een nieuwe tandarts heeft de praktijk overgenomen en de grote linden voor mijn raam hebben blaadjes gekregen. Ik voel me over het algemeen tevreden met het bestaan en mijn leven. Op dit moment ben ik de beste van de klas; Henny is een beetje achteropgeraakt en Adam is een deel van de winter ziek geweest, waardoor hij zichzelf niet echt heeft kunnen waarmaken. Hij heeft iets aan zijn longen en is überhaupt een ziekelijk joch.

Maar in het najaar gaan we alledrie naar het Weiverslyceum in de Waldemarstrasse. Er zijn nog vijf leerlingen uit onze klas toegelaten, en van Marvel moeten we uiteraard afscheid nemen. Maar dat geeft niets. We zien hem niet zo vaak meer, hij is écht gaan roken en trekt nu meer op met een paar oudere jongens van de technische school in Löhr. Ik denk dat Marvel daar ook naartoe gaat dit najaar en dat is voorzover ik begrijp een redelijk logische ontwikkeling. Ik heb het gevoel dat het hem niet zo goed zal vergaan in het leven.

Henny en ik praten vrijwel onophoudelijk met elkaar. In de pauze op school, als we 's middags samen huiswerk maken of gaan zwemmen in het Genzer Sportpalatz of 's avonds, als we elkaar bellen, hoewel onze moeders dat proberen te verbieden.

We bespreken alles tussen hemel en aarde, zoals dat heet. Wat we willen worden als we later groot zijn, wat jongens diep in hun hart eigenlijk denken, of het altijd slecht is om te liegen en of juffrouw Butts echt een verhouding heeft met onze muziekleraar Fitzsimmons.

We hebben het ook over God. Henny beweert stellig dat hij bestaat; zelf ben ik daar wat minder zeker van. Als er iemand bestond die de touwtjes in handen had, zou de wereld er niet zo uitzien, is mijn mening. Maar volgens Henny komt alles uiteindelijk goed. Er liggen alleen wat struikelblokken op de weg.

'Bedoel je tijdens ons leven al?' vraag ik. 'Of moeten we eerst doodgaan en dan tienduizend jaar op de dag des oordeels gaan liggen wachten?'

'Beide', zegt Henny overtuigd. 'Het zal ons beiden goed gaan in het leven zolang we maar goed en bescheiden blijven.'

Ik zeg dat het vast niet schaadt om ook een beetje vooruitziend en op je hoede te zijn, anders word je voor je het weet verschalkt door het kwaad. Henny begrijpt niet helemaal wat ik bedoel en ze wil dat ik een voorbeeld geef, maar ik weet dat ik dat beter niet kan doen.

Wat betreft onze toekomstplannen: ik wil actrice of schrijfster worden, misschien wel allebei. Henny verandert één keer per maand van mening. In maart wil ze dierenarts worden, in april is ze van plan om kledingontwerpster te worden en in mei stelt ze zich ten doel om met een rijke man te trouwen en zes kinderen op te voeden in een klein Frans vissersdorpje terwijl ze ecologische rozen kweekt en lichte aquarellen schildert. Het liefst wil ze dat haar man bij de Verenigde Naties werkt en veel reist. In de keuken wil ze grote, roodzwarte tegels op de vloer.

Ik vind Henny een beetje naïef en overdreven veranderlijk, maar toch zijn we onafscheidelijk. En als ze begin juni verliefd wordt op een volkomen hopeloze jongen die Dimitri heet, doe ik mijn best om daar een stokje voor te steken. Naderhand, als ze dit achter zich heeft gelaten zonder gezichtsverlies te lijden, bedankt ze me oprecht voor het feit dat ik voet bij stuk gehouden heb. Ik vind mezelf uitzonderlijk volwassen voor iemand van nog maar dertien.

In de zomervakantie ga ik naar mijn vader en broer in Saarbrücken. Het is uit met Else en ik kan weer in mijn oude meisjeskamer. Van 's morgens vroeg tot de middag werk ik in de bakkerij van Goscinski, 's avonds fiets ik naar de rivier, waar ik met mijn oude vrienden afspreek. Hoe langer de zomer duurt, hoe duidelijker het wordt dat ik hun ontgroeid ben. Ik betrap mezelf op de gedachte dat de scheiding van mijn vader en moeder goed voor mijn persoonlijke ontwikkeling is geweest.

Misschien zijn mijn vader, mijn broer en ik wel uit elkaar gegroeid; we zien elkaar bijna nooit, en als we samen de maaltijd nuttigen, is het vaak opvallend stil aan tafel. Mijn vader lijkt tien jaar ouder te zijn geworden, en als hij iets zegt, heeft het altijd met het weer of het voetbalteam Zenit te maken. Mijn broer probeert me niet meer in elkaar te slaan, zoals vroeger, maar daarmee lijkt ook meteen alle communicatie tussen ons verdwenen.

Als Henny en ik op 1 september samen met 172 anderen in de grote aula van het Weiverslyceum zitten, voel ik een gespannen verwachting voor de jaren die voor ons liggen. Ik heb het gevoel dat mijn kindertijd nu voorbij is en ik weet vrijwel zeker dat ik die niet zal missen.

Agnes R.
Villa Guarda
Gobshejm

Grothenburg, 11 november

Lieve Agnes,

Wat was ik blij met je brief, al hoop ik uiteraard niet dat alleen de financiële aspecten de reden zijn geweest om in te gaan op mijn voorstel.

Het spijt me dat ik je overgehaald heb om deze kwestie te bespreken, bedoel ik natuurlijk. Ik wil op geen enkele wijze de loop der gebeurtenissen die voor ons ligt sturen of domineren. Integendeel, ik vind het belangrijk dat we ons allebei, allerliefste Agnes, volledig kunnen vinden in iedere stap die we zetten, ieder minste of geringste detail in de uitvoering. We moeten alles minutieus plannen en ons best doen om onnodige risico's te vermijden. Twee vrouwen van ons kaliber zouden toch wel ongestraft een enkele man moeten kunnen vermoorden? Wat jij, Agnes?

Nee, als ik er nog eens over nadenk ben ik ervan overtuigd dat we — als we daartoe besluiten — een plan kunnen verzinnen waarbij we niets aan het toeval overlaten en de politie met lege handen zal komen te staan en geen idee zal hebben welke mensen, en welke krachten, David om het leven hebben gebracht.

Het eerste wat we in ieder geval voor ogen moeten houden – althans, voorzover ik het kan beoordelen – is dat we zorgen voor een waterdicht alibi voor mij. De echtgenote van een vermoorde man is per definitie de eerste persoon die de politie verdenkt. Dat zal ook in dit geval zo zijn, ongeacht of ze op de hoogte zijn van Davids overspel of weten dat ik ervan op de hoogte ben. Hiermee mogen we dus niet slordig omspringen. De eerste vereiste en voorwaarde is dat ik onder geen beding de mogelijkheid kan hebben gehad om de moord te plegen.

Om deze voorwaarde te kunnen garanderen is het noodzakelijk – sorry dat ik zo formeel en technisch klink, lieve Agnes, ik merk het zelf en het is zonder meer een vreemd gevoel, maar ik denk dat emoties ons alleen maar in de weg zouden zitten – voor mijn waterdichte alibi is het noodzakelijk dat we enerzijds het tijdstip van Davids dood met een zekere exactheid kunnen vaststellen en anderzijds dat ik me op dat tijdstip aantoonbaar ergens anders bevind. Zo ver bij de plaats van het misdrijf vandaan dat ik uit de lijst van verdachten kan worden geschrapt. Aantoonbaar dus. We hebben hiervoor dus een of andere getuige nodig, denk je ook niet, Agnes?

Maar goed, om een lang verhaal kort te maken, volgens mij zijn er twee varianten mogelijk: of je vermoordt mijn man in ons huis terwijl ik ergens anders ben, of je vermoordt hem ergens anders terwijl ik thuis ben.

Na lang nadenken en beide alternatieven tegen elkaar te hebben afgewogen, ben ik tot de conclusie gekomen dat ik de voorkeur geef aan het laatste. Ik wil dat we het ergens anders laten plaatsvinden, dus. Ik vind dat ik de meisjes zo veel mogelijk moet ontzien en het zou ongetwijfeld onnodig zwaar en traumatisch voor hen zijn om hun dode vader zo dicht in de buurt te hebben. En hoewel het vast en zeker mogelijk is om het zo te regelen dat ze er in de nacht van de moord niet zijn (ik lijk ervan uit te gaan dat het 's nachts moet plaatsvinden, vreemd niet, Agnes?), zullen ze zich naderhand vast niet meer thuis voelen in het huis waar hun vader van het leven is beroofd.

Mijn basisidee is dus – en ik wil eigenlijk niet verder op de zaak vooruitlopen voordat ik jouw standpunten heb gehoord – om de moord op een veilige afstand van Grothenburg te laten plaatsvinden. Een hotelkamer in München, Berlijn of Hamburg misschien. David is minstens twee tot drie keer per maand op reis en overnacht dan ergens anders. Het moet dus niet zo moeilijk zijn om een gelegenheid te vinden.

Welke methode je gebruikt is me eigenlijk om het even. Ik ben absoluut van mening dat je de methode moet kiezen die het best bij je past. Persoonlijk zou ik het liefst zijn keel doorsnijden, maar dat is misschien te riskant. En erg bloederig natuurlijk. Een kogel door zijn hoofd is in veel opzichten veiliger, maar dan komen we bij het probleem hoe we aan een wapen moeten komen.

Er zijn vanzelfsprekend ook andere methoden, maar wat dat betreft geeft jouw stem de doorslag, Agnes. Misschien heb je op dit duistere gebied wel voorkeuren, zowel esthetische als rationele, dat zou me niets verbazen. Wat betreft het tijdstip: er is uiteraard geen dringende haast bij, maar ik zou het project graag in de nabije toekomst willen uitvoeren. Over uiterlijk twee, drie maanden. Om de zomervakantie van de meisjes en dat soort dingen te kunnen plannen, zou het heel fijn zijn als hij in ieder geval voor Pasen onder de grond ligt.

Enfin, lieve Agnes, laat snel horen wat je ervan vindt. Ik zou je heel graag weer willen zien, maar we moeten natuurlijk alle contact vermijden tot we het hoofdstuk David hebben afgesloten. Laten we een veiligheidsmarge van een halfjaar nemen.

Later meer hierover.

Belooft
je erkentelijke Henny

Henny Delgado
Pelikaanallé 24
Grothenburg

Gobshejm, 17 november

Lieve Henny,

Bedankt voor je brief. Ik moet toegeven dat ik me wel een beetje anders dan anders voelde nadat ik hem gelezen had. Het was alsof we al een heel stuk van een wrede weg hadden afgelegd zonder hoop of uitzicht op terugkeer. Maar nu, vanavond, na twee glazen wijn, heb ik mijn zenuwen onder controle en kan ik zo helder denken als een hongerige non. Weet je nog dat meneer Klimke op Weivers die uitdrukking altijd gebruikte? Ik heb me altijd afgevraagd hoe hij daaraan kwam. Hongerige non?

Vooralsnog ben ik het eens met alle punten die je noemt. Ik geef er absoluut de voorkeur aan om zoiets sinisters in een anoniem hotel uit te voeren, liever dan in jouw huis. Maar ik blijf me afvragen of het wel zo'n goed idee is om thuis te blijven met de meisjes. Moet je niet een beter alibi hebben? Hun verklaringen zijn in een rechtszaak denk ik niet voldoende; ze worden vast niet toegelaten als getuige. Als kinderen überhaupt in een rechtbank voor of tegen hun ouders mogen getuigen. Dat heb ik in ieder geval begrepen uit een rechtbankfilm die ik op televisie heb gezien.

Ach, het is maar een detail, dat redelijk makkelijk te regelen valt. Je kunt bijvoorbeeld vrienden te eten vragen en ervoor zorgen dat ze pas laat weggaan. Ik ben het helemaal met je eens dat ik 's nachts moet toeslaan, want dan vinden doorgaans de meeste moorden plaats, volgens mij. Ik zou hem het liefst al slapend, voordat hij de kans krijgt om wakker te worden, naar de andere wereld helpen. Hoe slaapt hij? Diep? Of wordt hij bij het minste geluid al wakker? Er zijn nog een heleboel kleine vragen waar je me in de loop van de tijd duidelijkheid over moet geven, maar daar komen we wel op terug als we wat verder zijn met de voorbereidingen.

Ik heb er ook een tijdje over nagedacht hoe ik precies zijn hotelkamer binnen moet komen. Wat denk je, zal ik me daar misschien overdag al verstoppen en dan gewoon het juiste moment afwachten? Of zal ik een kamer in hetzelfde hotel nemen, verkleed en onder een valse naam? (Maar moet je je tegenwoordig niet legitimeren?)

Nou ja, daar hebben we het nog wel over. Wat betreft de methode wil ik het liefst een boel onnodig geweld en overdreven bloedvergieten voorkomen. Wat dit betreft is de beslissing nogal eenvoudig, want ik heb een wapen in mijn bezit. Het is een betrouwbaar Belgisch pistool van het merk Berenger. Mijn man heeft het jaren geleden in bewaring genomen toen een oude oom van hem overleed. Het staat niet geregistreerd en niemand weet dat we het hebben. Dat ík het heb, bedoel ik natuurlijk. We hebben het ding een paar jaar geleden voor de grap een keer uitgeprobeerd en het deed het prima. Ik heb ook nog een paar doosjes munitie liggen. Volgens mij is dit de veiligste manier. Het is niet mogelijk om het wapen naar mij te traceren, en om alle risico's uit te sluiten kan ik het als alles achter de rug is altijd nog in het bos begraven.

En wannéér, lieve Henny? Ja, dat is mij vanzelfsprekend om het even. Als jij de juiste datum prikt en het juiste hotel in de juiste stad weet te vinden, ben ik ieder moment bereid om in actie te komen. Vooropgesteld natuurlijk dat we alles doorgesproken hebben en zeker weten dat we niet een belangrijk detail over het hoofd hebben gezien.

En vooropgesteld dat we het eens zijn over de vergoeding. Ik heb via advocaat Pumpermann een vage toezegging aan Clara en Henry gedaan dat ik hen kan uitkopen. Maar net zoals ik een bescheiden bedrag zou willen ontvangen ter bevestiging van onze overeenkomst, willen zij voor de kerst vast ook een soort aanbetaling hebben. Zo heb ik de woorden van Pumpermann tenminste geduid. Lieve hemel, hij is echt een man die je moet dúíden, Henny! Zullen we zeggen twintigduizend en tegen de tijd dat de grote dag nadert kijken wat we met het resterende honorarium doen?

Of de grote nacht, beter gezegd.

Hoe is het weer in Grothenburg, om het even ergens anders over te hebben? Hier in Gobshejm is november tot nu toe ongebruikelijk regenachtig en somber. Zelfs de honden willen de deur niet meer uit. Een reisje naar het zuiden zou me vast goeddoen, maar dat moet nog maar even wachten, ben ik bang.

Met dank verblijf ik,
Agnes

 PS: Net op het moment dat ik de enveloppe wil dichtplakken komt er ineens een afschuwelijke gedachte bij me op. Stel dat die vrouw samen met hem in het hotel zit! Hoe bereiden we ons daarop voor?

EEN WILLEKEURIGE AVOND.

Ik was op het instituut gebleven en had tot na achten werk-stukken zitten nakijken. Van de dertien ingeleverde werken moest ik er drie een onvoldoende geven. Allemaal jongens. Of mannen, of hoe je deze half intellectuele blagen van twin-tig, tweeëntwintig ook wilt noemen. Ik heb eigenlijk geen idee hoe oud ze zijn. Dietmar, de slechtste van het stel, zou over de vijfentwintig kunnen zijn. Piotr lijkt niet ouder dan negen-tien met zijn puistjes en schuine pony. Hoe dan ook, ze zou-den met kerst moeten stoppen. Dan kunnen ze in januari aan een minder veeleisende studie beginnen. Pedagogiek of psychologie misschien. Of een kwantificeerbare natuurwe-tenschap.

Het regent als ik naar huis rij. Het wegdek van de laan tus-sen Münstersdorf en het slot ligt bezaaid met natte bladeren. Ik rij langzaam en denk aan Henny. Wat een bijzondere vrouw. Althans, dat is ze geworden. Misschien was deze afstand, dit jarenlange stilzwijgen, wel helemaal niet nodig geweest, maar gezien de nabije toekomst is het alleen maar goed. Alsof alles van meet af aan van bovenaf is geregisseerd. Of gechore-ografeerd. Maar ik ben me ervan bewust dat dit soort ge-dachten juist op zo'n donkere en sombere avond als deze makkelijk opkomen en de boventoon kunnen gaan voeren.

Ik vraag me af of iemand haar gezien heeft tijdens de begrafenis. Haar aanwezigheid moet ongetwijfeld zijn opgemerkt, maar zou iemand erbij hebben stilgestaan wie ze was? Het lijkt me niet waarschijnlijk. Er waren behoorlijk veel mensen en de meesten kenden elkaar niet.

Het geld stond vanmorgen op mijn rekening. Toen ik geld pinde bij de automaat op de Kleinmarkt, zag ik dat er ineens twintigduizend euro op mijn rekening stond. Ik moet toegeven dat mijn hart oversloeg. Alsof ik in één klap van een fictieve wereld de echte wereld in werd geslingerd. Van een film of een droom naar de wrede werkelijkheid.

De teerling is nu dus geworpen? Er is geen weg meer terug?

Dat maak ik mezelf wijs. Ik wíl ook niet terug. Wil me niet terugtrekken. Het is vreemd, maar dit alles lijkt sensueel prikkelend te werken, en dat kan ik deze regenachtige herfst wel gebruiken.

Op het moment dat ik mijn auto de garage in rij, duikt Tristram Singh op in mijn gedachten, en als hij zich eenmaal heeft vastgebeten, lukt het me de rest van de avond niet meer om hem kwijt te raken. Ook niet als ik met de honden ga wandelen en ik daarna zoals gewoonlijk een uur lang in mijn fauteuil voor het haardvuur zit. Ik breng onvoorstelbaar veel tijd door in dit zitmeubel, alsof ik een vrouw van tachtig ben die herinneringen zit op te halen. Maar ik ben nog maar half zo oud, en iets zegt me dat de belangrijkste gebeurtenissen in mijn leven nog niet hebben plaatsgevonden.

Voordat ik naar bed ga lees ik de regels van Barin waar ik dol op ben. Dat kan ik wel gebruiken als tegenwicht voor al dat hortende werkstukproza waar ik me doorheen heb moeten worstelen.

Terugkijkend op het leven van Beate Wollinger
bleek haar hart
twintig miljoen
achthonderddertienduizend
zeshonderdnegenenzestig keer geslagen te hebben.
Vier van deze hoorde assistent-opticien
Arnold Maurer in 1971 op een lenteavond in Gimsen.

*

Claus-Joseph.

Ik ontmoet hem bij een demonstratie. Ik weet niet meer waartegen we demonstreren, vermoedelijk tegen Zuid-Afrika. Hij is één jaar ouder dan ik, heeft een Trabant en studeert filosofie, tot hij opgeroepen wordt voor militaire dienst. We krijgen iets samen, maar ik hou niet van hem en we gaan niet met elkaar naar bed.

Ongeveer tegelijkertijd – ik heb het nu over het najaar van 1981 – krijgt Henny iets met Ansgar. Ansgar is de zoon van een dominee, die zijn geloof verloor toen zijn vrouw met een donkere jazzmuzikant naar Canada vertrok en hem in Klubbenhügge achterliet met zijn gemeente en eniggeboren zoon. Inmiddels houdt Ansgars vader zich bezig met het fokken van herdershonden op een boerderij bij Bloemenberg. Ansgar is een nogal neurotische jongeman, iets wat ongetwijfeld appelleert aan het goede hart van Henny.

Henny gaat ook niet met haar Ansgar naar bed, niet omdat ze dat niet wil, maar om een of andere vage religieuze reden.

Maar we proppen ons in de Trabant van Claus-Joseph, ja, waarachtig, waarin we wat rotzooien. Stoppen onze hand onder de rand van elkaars broek, wrijven een beetje en kreunen wat. Ook maken we weleens een ritje met de auto. Bij voorkeur naar Ulming of Westdorf. Het liefst gaan we naar de dorpjes langs de slingerende bovenloop van de Neckar. Tijdens deze tochtjes kijken we naar vogels met de verrekijker die Ansgar bij zich heeft – zowel Ansgar als Claus-Joseph is geïnteresseerd in ornithologie – en we praten over politiek. Solidariteit. Cambodja. De strandloper. Zuid-Afrika. Henny en ik zitten in ons laatste jaar op Weivers. Ansgar en Claus-Joseph hebben al examen gedaan. Ze denken dat ze meer weten.

Larie, denk ik bij mezelf. Als het regent lekt het door de zijraampjes van de Trabant. Ik betrap mezelf er vaak op dat ik er niet altijd helemaal bij ben.

In januari van het laatste schooljaar komt Tristram Singh bij ons in de klas. Hij neemt eigenlijk alleen actief deel aan de lessen Engels en beantwoordt de spaarzame vragen die meneer Dibble op hem afvuurt met een accent dat uit een oude Britse koloniale komedie lijkt te komen en ons doet stikken van het lachen.

Maar Tristram zit ook bij de andere lessen; waarom is niet duidelijk. Hij is hier met zijn ouders en vijf jongere zusjes en blijft een halfjaar, misschien wel een heel jaar. Zijn vader is een soort consul en Tristram moet natuurlijk iets te doen hebben.

Hij is tenger, bescheiden en alert en hij heeft een glanzende lichtbronzen huid, waarvan je je ogen moeilijk kunt afhouden en die Claus-Joseph en Ansgar in één klap doet verbleken tot saaie Bohemer worsten in smoezelige schapendarmen. Het is Henny die deze benaming gebruikt op een avond na een discussie over de vorkstaartplevier en de situatie op het Chileense platteland. Ik weet niet of ze hiermee Ansgar in zijn geheel bedoelt of slechts een bepaald deel van hem.

De milde droefheid in Tristrams ogen lijkt aloud.

Op een avond begin februari gaat hij met ons mee naar Vlissingen, een studentenkroeg waar we af en toe een biertje drinken en praten over de essentie van de kunst. We zijn met een redelijk grote groep die avond. Er is iemand jarig, geloof ik. Maar Tristram drinkt geen bier of wijn, alleen thee en water. Hij zit tussen mij en Henny in en heeft een geelwit linnen pak aan, hij ruikt lekker en een beetje vreemd en is tegenover ons allebei even voorkomend en serieus. Om kwart over elf kijkt hij op zijn horloge en deelt mee dat hij tot zijn spijt weg moet omdat hij zijn moeder heeft beloofd om voor twaalven thuis te zijn. Henny werpt een blik op Ansgar, die naast haar zit, en ik werp een blik op Claus-Joseph, die naast mij zit, waarna we, Henny en ik, bijna als uit één mond zeggen dat we met hem meelopen naar huis.

Het zou toch wel erg onvriendelijk zijn om een droeve, jonge Indiër alleen in de mist door de donkere stegen van Grothenburg te laten lopen.

Bovendien hebben we frisse lucht nodig.

'De liefde is een kracht die sterker is dan de mensen die het aangaat', zegt Henny. 'Je hebt het niet in de hand.'

Ik weet niet waar ze het gelezen heeft, maar ze probeert de indruk te wekken alsof ze het zelf heeft verzonnen.

'Dat geldt misschien voor puberale romantici en hitsige honden', zeg ik. 'Maar als je je eenmaal in de zee van gevoelens begeeft, kan het zelfs voor verstandige mensen moeilijk zijn om weer aan land te komen.'

'Sommige mensen kunnen alleen van geld houden', zegt Henny.

Als Claus-Joseph en Ansgar er niet bij zijn, praten we soms graag zo, Henny en ik. Ook willen we dit soort dingen weleens in onze opstellen voor juffrouw Silberstein schrijven. Soms pakt het goed uit, soms wat minder.

Wijs, schrijft juffrouw Silberstein in de kantlijn.

Of: Grote woorden, kleine gedachte.

'Gevoel en verstand hoeven elkaar niet te bijten', gaat Henny verder. 'Ze kunnen best hand in hand gaan, je moet alleen de teugels een beetje durven laten vieren.'

'Mooie mensen kunnen het wezen van de liefde nooit begrijpen', citeer ik. 'Ze zijn gedoemd om het object te zijn. En wij zijn allebei mooi, nietwaar, Henny?'

Henny denkt na en bladert verstrooid in haar Franse grammaticaboek. We hebben de volgende dag een proefwerk. We zitten in mijn kamer en we zouden eigenlijk moeten studeren; het gesprek is een afleiding.

'Dat is niet waar', zegt Henny na een tijdje. 'Ik ben er bijvoorbeeld van overtuigd dat Tristram Singh heel goed in staat is om het wezen van de liefde te begrijpen.'

'Hoe bedoel je?' vraag ik.

'Wat ik zeg', zegt Henny.

'Zijn huid is als licht koper', zeg ik. 'Dat is waar, maar...'

Henny zwijgt weer en kijkt door het raam naar buiten. Het is nog steeds februari en het regent al drie dagen aan één stuk. De momenten lopen als het ware in elkaar over, en de tijd blijft uit pure verveling stilstaan.

'Ik denk er serieus over na om het uit te maken met Ansgar', zegt Henny uiteindelijk met een ietwat gekunstelde zucht.

'Ik heb Claus-Joseph gisteren de bons gegeven', beken ik, waarop we beiden in schaterlachen uitbarsten.

We blijven lachen, we vallen in elkaars armen en we kunnen bijna niet meer ophouden. De tranen stromen over onze wangen, het Franse grammaticaboek valt op de grond en we blijven lachen tot Henny pijn in haar buik krijgt en ik bijna in mijn broek plas.

'Agnes,' zegt Henny, 'je bent mijn bloedzuster. Niets zal ons ooit scheiden.'

'Niets', zeg ik.

Agnes R.
Villa Guarda
Gobshejm

Grothenburg, 8 december

Lieve Agnes,

Bedankt voor je laatste brief, die me zowel blij maakte als zorgen baarde.

Waar ik blij om ben, is dat ik nu echt merk dat je heel serieus met onze zaak bezig bent (het lijkt me een uitstekend idee om jouw Belgische pistool te gebruiken, als je maar zeker weet dat hij het doet en hoe hij werkt). Waar ik me zorgen om maak, is je vraag in het PS. Daar moeten we natuurlijk serieus over nadenken, want hij ontmoet haar ongetwijfeld op al zijn reizen. Schaarse, opwindende nachten in onbekende hotelkamers. Verdomme, Agnes, alles in me komt in opstand als ik eraan denk! Maand in maand uit, ze moeten al die jaren minstens honderd keer geneukt hebben. Ja, ik ben erachter gekomen dat het waarschijnlijk al langer gaande is dan ik eerst dacht. Ik speel met de gedachte, en verwerp die tegelijkertijd, om de meisjes de waarheid over hun vader te vertellen. Het is zo laag-bij-de-gronds! Zo'n ordinair verraad!

In haar ben ik niet geïnteresseerd. Absoluut niet, wat voor sloerie of zogenaamd keurige vrouw ze ook mag zijn. Haar motieven en beweegredenen laten me koud. Zij is vermoedelijk niet minder platvloers dan hij, maar haar laat ik links liggen. Hij is degene die moet sterven, niet zij. Ik wil niet eens weten wie ze is.

Maar wat doen we met het probleem dat zij er ook kan zijn? Goddank heb jij daar op tijd aan gedacht, Agnes. Ik wil onder geen beding dat zij ook het leven laat. Afgezien van alle andere complicaties zouden bij een dubbele moord op mijn man en zijn minnares alle verdenkingen op mij zijn gericht. Nee, hij moet boeten voor zijn daden, zij mag vrijuit gaan. Daarover hoeven we niet te twijfelen.

Aan de andere kant moeten we de problemen ook niet groter maken dan ze zijn. Als jij David volgens plan weet om te brengen en zij zou toevallig het dode lichaam vinden, hoeft dat de boel toch niet te bederven? Volgens mij heeft ze dan juist alle reden om de benen te nemen. Of zie ik dat verkeerd, Agnes? Stel dat jij de minnares van een getrouwde man bent en je treft hem levenloos in jullie liefdesbed aan, zou jij dan meteen de politie bellen? Je identiteit en de gang van zaken onthullen? Dat lijkt me niet. Nee, hoe meer ik erover nadenk, hoe meer ik ervan overtuigd raak dat we van haar niets te vrezen hebben. Zolang ze geen getuige van de moord is, denk ik dat haar eventuele aanwezigheid achter de coulissen niet van groot belang is en geen probleem hoeft op te leveren. En als het eenmaal zover is, moet het toch niet zo heel moeilijk zijn om erachter te komen of hij alleen is als je hem doodschiet, Agnes. Het hoeft ook niet per se op zijn kamer te gebeuren. Een rugschot in een steeg in de buurt van het hotel werkt toch even goed? Het pistool stop je in je handtas en dan loop er je rustig vandaan. Zo leggen ze premiers immers ook om. Ja, ik speculeer maar wat, Agnes, en ik moet zeggen dat het me soms een beetje spijt dat ik het wapen niet zelf ter hand mag nemen om hem zijn verdiende loon te geven.

Enfin, denk er maar eens over na, Agnes, en laat me weten hoe jij ertegenaan kijkt. We moeten hoe dan ook een geschikt tijdstip en een geschikte plaats prikken. Ik neem aan dat we pas ergens begin volgend jaar te werk kunnen gaan. Daarom heb ik een blik in Davids agenda geworpen en nu weet ik dat hij in januari en februari minstens vier keer twee tot drie dagen voor zijn werk op reis moet. Maar ik zal de data nog even precies controleren en ze in mijn volgende brief zetten. Kerstmis nadert hier in Grothenburg en we zullen ons weer door de gebruikelijke familiebijeenkomsten heen moeten slaan. Ik moet zeggen dat ik blij ben dat het de laatste keer is.

Ik hoop dat je het geld hebt gekregen. Hoe we de resterende tachtigduizend gaan overdragen weet ik nog niet. Ik ga ervan uit dat je mij net zo vertrouwt als ik jou, Agnes. Ik heb het gevoel alsof de afgelopen negentien jaar zich in een ander spoor hebben voltrokken, als in een andere ruimte, vind je ook niet? Ik zou je graag willen ontmoeten, maar zoals ik in mijn vorige brief al schreef: daar moeten we nog even mee wachten.

Maar kunnen we er dan, lieve Agnes, niet samen een week of twee tussenuit, alleen jij en ik? Wat dacht je van een korte reis volgend najaar? Twee vrolijke weduwen aan de Middellandse Zee. Geef toe dat het aanlokkelijk klinkt! Ik kan zo een oppas voor de meisjes regelen. Mijn broer (je herinnert je Benjamin toch nog wel?) en zijn gezin zorgen graag voor hen. Ze wonen in Karlsruhe en we passen wel vaker op elkaars kinderen, maar zijn zoons zijn wel een paar jaar jonger.

Maar zoals ik al zei, Agnes, laten we tot na de kerst wachten en in het nieuwe jaar toeslaan. Geniet van je vrije weken (of hebben jullie in de universitaire wereld misschien wel een hele maand vrij?) en laat van je horen!

Was getekend, je trouwe
Henny

Henny Delgado
Pelikaanallé 24
Grothenburg

Gobshejm, 10 januari

Lieve Henny,

Sorry dat ik zo lang niets van me heb laten horen, maar ik ben
op reis geweest. Een collega van het instituut kwam een paar
dagen voor kerst met een aanbod dat ik niet kon afslaan. Twee
weken New York. Zijn zus werkt voor de Verenigde Naties en
heeft een appartement in Manhattan. De dag voor kerst ben
ik vertrokken en ik ben gisteravond laat teruggekomen in
Gobshejm. Ik heb het echt heerlijk gehad daar. Ik had een drie-
kamerflat op 74th Street voor mij alleen, met uitzicht op een
bevroren Central Park. Theater, film, musea en een beetje win-
kelen. Inderdaad, we moeten zeker samen op reis, Henny, zoals
je voorstelt. Maar ik denk dat ik liever naar een grote stad ga:
Barcelona of Rome misschien, of waarom niet nog een keer
naar New York? Nou ja, daar hebben we het nog wel over.

Ik heb nagedacht over je bespiegelingen en de risico's die
je schetste in je laatste brief, en ik ben het eigenlijk op alle
punten met je eens. Ik vind ook niet dat we de daad zo ver
van tevoren al moeten plannen. Vooral omdat we niet weten
of die vrouw er is of niet. Maar ik zie het niet als een groot
probleem. De definitieve beslissingen moeten hoe dan ook

ter plekke worden genomen. We kunnen niet voorzien in welke omstandigheden we precies terechtkomen. We moeten simpelweg vertrouwen op mijn kalmte en beoordelingsvermogen op het beslissende moment. En ik kan je verzekeren, Henny, ik zal mijn hoofd koel houden. Als de gelegenheid zich voordoet zal ik er gebruik van maken. Als ik het risico om gesnapt te worden te groot vind, ja, dan wacht ik af. Iemand doodschieten duurt per slot van rekening niet langer dan een seconde en jezelf daarna in veiligheid brengen niet veel langer.

Dus vertrouw op me, Henny, het gaat lukken. Als je me een paar data en plaatsen geeft om uit te kiezen, beloof ik je dat ik je in mijn volgende brief laat weten hoeveel dagen je man nog te leven heeft.

Verder is er tijdens mijn afwezigheid eindelijk wat sneeuw gevallen in Gobshejm en de rivier is dichtgevroren. Hoe is het in Grothenburg?

Vraagt je toegenegen
Agnes

PS: Net op het moment dat ik denk dat ik klaar ben met schrijven, komt er alweer een gedachte bij me op. Weet je of er meer mensen zijn die van Davids overspel weten? Vrienden, bekenden? Het gebeurt immers dat mensen dit soort informatie voor zich houden, uit een misplaatst soort medeleven, denk ik, wat eigenlijk alleen maar een uiting van lafheid en gemakzucht is.

En is er iemand die weet dat jij het ontdekt hebt? Ik weet zo een-twee-drie niet of deze vragen van belang zijn of niet, maar je kunt er in ieder geval over nadenken.

DE HONDEN ZIJN ONRUSTIG, vooral Wagner. Misschien was twee weken bij de familie Barth wel te lang, maar normaal gesproken verloopt het zonder problemen. Misschien heeft Erichs afwezigheid ermee te maken, ja, dat moet het zijn: een soort geaccumuleerd gemis dat kwam bovendrijven toen ík ze ook nog een tijd alleen liet.

Ik heb mezelf ook betrapt op een zeker gemis. Van Erich. Hoewel je de laatste jaren niet van een liefdesrelatie kon spreken en we eigenlijk nooit een hechte band hebben gehad, hebben we toch mooie momenten gekend. Het heeft even geduurd voor ik dat besefte. Misschien kunnen we onszelf alleen met terugwerkende kracht begrijpen. Ik was niet op zoek naar passie of de grote sprong toen ik Erich koos, dat is duidelijk, maar dat zijn ook niet de belangrijkste elementen in het leven. We hebben ze op een andere manier nodig, denk ik. Als een soort… ja, hoe zal ik het zeggen? Als een soort denkbeeldige metgezel? Mogelijkheden die achter de schermen wachten op het moment dat ze hun entree mogen maken, voor het geval dat.

Mocht het gebeuren.

Woorden. Ik ben moe. Had in New York moeite met slapen. Een gevolg van de jetlag vermoedelijk, al is het de andere kant op meestal erger. Werd vaak om drie uur 's nachts wakker en bleef dan nog urenlang wakker liggen. Probeerde te lezen, maar mijn concentratie liet me in de steek. Schreef een paar brieven aan Henny, maar verscheurde ze. Uiteindelijk zat ik voornamelijk naar waardeloze films op televisie te kijken, of ik luisterde naar muziek op mijn discman. Coltrane en Dexter Gordon, twee van Erichs muziekhelden die ik overgenomen heb. Zat daar boven de Magritte-achtige onbereikbaarheid van het Central Park en probeerde me voor te stellen hoe alles zou lopen. Hoe mijn leven er over drie of zes of twaalf maanden zou uitzien. Ik maakte me geen zorgen, nu ook niet, ik voelde alleen een soort onderdrukte, weerspannige fascinatie. Ik had niet verwacht dat ik wéér iemand zou moeten doden, maar dat zijn kennelijk de voorwaarden: even definitief als onvoorspelbaar, duidelijk een ander soort metgezellen achter de schermen. En als ze eenmaal tevoorschijn komen en zichzelf introduceren heb je ineens geen keus meer. Eenmaal op het podium is er geen weg meer terug.

Het duurt nog twee weken voordat de colleges beginnen. Heerlijk. Ik lijk deze winter een onuitputtelijke behoefte te hebben aan rust en bezinning. Besteed weinig tijd aan mensen. Besteed in plaats daarvan veel tijd aan de honden, terwijl ik denk aan mijn geliefde en de toekomst.

*

We zitten aan een tafel in de schoolkantine en ik zie Henny en Tristram hand in hand zitten. Het is vrijdag, begin maart, de zon filtert door de halfopen jaloezieën naar binnen en maakt strepen op Henny's haar en linkerschouder. We zijn met zijn zessen. Leeggedronken koffiekopjes en sigarettenpeuken in de asbak. Schoolboeken. Speelkaarten die over de tafel liggen uitgespreid.

Ze houden elkaars hand teder vast, bijna beschroomd. Ik denk dat ze niet willen dat wij het zien. Half onder de tafel als het ware.

Of misschien is het wel andersom. Misschien willen ze door deze geforceerde bescheidenheid juist dat we het wél zien?

Een moment lang ben ik duizelig en ineens word ik heel erg misselijk. De braakreflex die naar boven komt is zo sterk dat het me ternauwernood lukt om het te onderdrukken. Ik kom snel overeind, mijn stoel kiepert om en valt op de grond. Zonder een woord te zeggen storm ik weg.

Op het toilet beneden gooi ik alles eruit wat ik die dag gegeten heb, alles wat ik mijn hele leven gegeten heb, lijkt het wel. En terwijl ik op handen en voeten sta te snikken, krijg ik ineens barstende hoofdpijn. Vlijmscherp en witheet.

Wat gebeurt er, denk ik bij mezelf.

Ga ik dood?

Het is niet de dood. Het is iets anders. Ik droom over deze twee ineengevlochten handen: de ene blank, de andere lichtbrons. Ik heb al een paar dagen niet met Henny gesproken, wat ongebruikelijk is. Sinds de aanval in de schoolkantine lig ik ziek thuis, in mijn kamer. Ik weet eigenlijk niet zeker of ik wel ziek ben, ik heb gewoon besloten om een tijd in bed te blijven. Als Henny eindelijk belt, zeg ik dat ik koorts heb. Ik stel geen vragen en ik merk dat Henny niet goed weet wat ze moet zeggen.

Mijn moeder haalt dokter Moessner erbij, die niets kan vinden. Zijn diagnose luidt voorlopig overspannenheid en hij schrijft rust en vruchtensap voor.

Vrijdag, een week later, ben ik beter en ga ik weer naar Weivers. Ik heb een wiskundetentamen gemist, maar dat is niet zo erg. Henny en een paar andere klasgenootjes vragen of ik zin heb om die avond mee uit te gaan. Naar Vlissingen, zoals gewoonlijk, en daarna naar een popconcert in de Embargo Club, aan de Kleinmarkt. Ik bedank, ik zeg dat ik ziek ben geweest. De hele dag hou ik Tristram en Henny in de gaten, maar ik zie geen handen die elkaar vasthouden en voel geen onoorbare vibraties.

Maar ik word bevangen door een soort sprakeloosheid en ingehouden verontwaardiging, die ik bijna niet kan verbergen.

'Wat is er met je?' vraagt Henny na de laatste les.

'Niks', zeg ik. 'Verbeeld je maar niks.'

'Verbeelden?' vraagt Henny. 'Wat zou ik me moeten verbeelden?'

'Stel je niet zo aan', zeg ik.

Het is een volslagen belachelijke conversatie, die we plicht-matig voeren. Henny bestudeert een tijdje haar baksteenkleu-rige nagels.

'Heeft het te maken met toen we in de kantine zaten?' vraagt ze.

'Ik weet niet waar je het over hebt', reageer ik.

'Het stelt niks voor', zegt Henny.

'Wat stelt niks voor?' vraag ik.

'Niks', zucht Henny. 'Niks stelt niks voor. Waarom ben je zo prikkelbaar?'

'Ik ben ziek geweest', zeg ik.

Henny kijkt op haar horloge en we gaan ieder ons weegs.

De week daarna gaat mijn moeder naar een conferentie in Bo-densee. Van dinsdag tot donderdag. Ik heb het huis voor mij alleen. Op woensdag haal ik Tristram Singh over om me thuis te komen helpen met wiskunde. Behalve aan de lessen Engels neemt Tristram nu ook serieus deel aan het wiskundeonder-wijs. Al snel blijkt dat hij zowel meer aanleg voor als grondi-gere kennis van dit vak heeft dan wij allemaal. Dat ik hem uit-nodig hoeft niets te betekenen. Absoluut niet. Ik ben achteropgeraakt omdat ik een week ziek ben geweest, en dat mijn moeder er niet is vertel ik hem pas als hij bij me op de bank zit.

Er zijn drie uur en fantastisch acteertalent, waarvan ik niet wist dat ik het had, voor nodig om hem te verleiden. We drinken wijn uit een fles die ik uit mijn moeders voorraadkast pik. Ik heb nog nooit iemand verleid en het is überhaupt de eerste keer dat ik met iemand vrij.

Hetzelfde geldt voor Tristram. Dat zegt hij achteraf. Hoewel ik merk dat hij zich ongemakkelijk voelt, haal ik hem over om te blijven slapen. Een jonge Indiër kan toch niet thuiskomen en naar wijn en liefde ruiken? Hij belt zijn moeder, ze praten een tijd in een taal die ik niet versta. Maar ik begrijp wel dat hij tegen haar liegt. Ik denk dat hij zegt dat hij bij een van de jongens uit zijn klas is en dat hij de laatste bus heeft gemist.

Ik hou van zijn naaktheid, zowel die van zijn ziel als die van zijn lichaam. We slapen de hele nacht niet. We raken elkaar aan zoals je elkaar alleen de allereerste keer kunt aanraken. En vermoedelijk de allerlaatste keer. Als de beker en de inhoud hetzelfde zijn. Woorden en hand. Gedachte, mond en geslacht. In een fles naast ons staat een brandende kaars. Een week later schrijf ik een opstel over een zachte, bronskleurige huid die wordt beschaduwd en gevlamd door vuur.

Pas goed op, schrijft juffrouw Silberstein in de kantlijn.

Tot het eind van het semester, als de familie terugkeert naar Delhi, houdt Tristram Singh geen handen meer vast. Noch die van mij, noch die van Henny. Noch die van iemand anders. Henny en ik ontwijken elkaar een beetje, maar in de loop van de zomer nemen we een chartervlucht naar Kreta. Op een avond belanden we in een bar, worden vrolijk dronken van de retsina en de tsipouro en we bedrijven op het strand onder de sterren de liefde met ieder onze eigen Griekse jongeling.

Agnes R.
Villa Guarda
Gobshejm

Grothenburg, 14 januari

Lieve Agnes,

Wat leuk om te horen dat je in New York bent geweest! Ik ben dol op die stad. Feit is dat we daar een jaar hebben gewoond toen de meisjes klein waren. David had een contract bij CBS en Remingtons. We hadden een appartement gehuurd in Brooklyn Heights. Ik ben het helemaal met je eens dat we een weekje naar The Big Apple moeten. Of naar een andere grote stad. Hopelijk volgend najaar of winter. O, was het maar zover. Was dit alles maar achter de rug. Maar ik weet zeker dat alles goed zal gaan en dat we elkaar snel zullen weerzien, heel zeker.

Ik heb goed nieuws, want ik denk dat ik een heel aantrekkelijke datum heb gevonden. Jij hebt uiteraard het laatste woord hierover, maar ik wil in ieder geval het weekend van de veertiende tot de zestiende voorstellen. Dan gaat David naar een internationale workshop voor theaterproducenten (of iets in die geest) in Amsterdam.

De reden waarom dit weekend me zo goed uitkomt, is dat ik dan ook ergens anders ben. Mijn baas, doctor Höffner, wil me om me te stimuleren naar een klein vertaalseminar sturen bij het sbs-instituut in München. Net als David vertrek ik vrijdagmiddag en ik kom zondagavond laat weer thuis. Wat wil je nog meer, Agnes? Amsterdam en München liggen ruim vijfhonderd kilometer uit elkaar: een beter alibi kan ik me niet wensen.

Ik ben ook, zonder medeweten van David natuurlijk, te weten gekomen in welk hotel hij overnacht. Het heet Figaro en ligt behoorlijk centraal aan de Prinsengracht. Ik weet nog niet precies waar de workshop wordt gegeven, maar als je op dit voorstel toehapt, kan ik daar allicht achter komen. Dat geldt ook voor alle andere details die voor ons van belang kunnen zijn. Alles om je opdracht eenvoudiger te maken.

Ik stop ook een foto van David bij deze brief; het is immers nogal wat jaren geleden dat je hem voor het laatst hebt gezien, en de tijd heeft zijn sporen wel nagelaten, vrees ik. Soms heeft hij een baard en soms niet. Dat heeft volgens mij met zijn permanente leeftijdscrisis te maken. De ene keer wil hij eruitzien als een gedistingeerde man van middelbare leeftijd en de andere keer denkt hij dat hij weer vijfentwintig is. Tja, zo zijn mannen, Agnes. Daarmee vertel ik je vast niets nieuws.

Hoe dan ook, als we besluiten om dit scenario te volgen — half februari, Amsterdam — maak ik nog dertigduizend euro over naar je rekening. Zodra je me het groene licht geeft, dus. Dan blijft de helft van het bedrag, vijftigduizend, nog over voor na de moord. Volgens mij gaan ze in dit soort circuits zo te werk, in ieder geval op televisie. De ene helft bij de ondertekening van het contract, de andere helft bij de levering. Geef toe, we pakken het best wel professioneel aan!

Wat betreft je vraag in je PS, of vragen beter gezegd: ik zou me heel goed kunnen voorstellen dat Davids overspel bekend is bij een aantal collega's van hem (de mannelijke natuurlijk), maar ik denk niet dat een van onze zogeheten naaste bekenden ervan weet. En ik kan je verzekeren dat noch David noch iemand anders ook maar het geringste vermoeden heeft dat ik op de hoogte ben van zijn verraad. Het is immers onderdeel van het mannelijke arsenaal van ijdelheden om te denken dat wij eenvoudig om de tuin te leiden zijn, en dat is in dit geval geen nadeel. Integendeel, Agnes. David koestert niet de minste verdenking. Hij is een makkelijke prooi, of hoe je dat ook moet noemen.

Dus schrijf me snel terug, Agnes, en laat me weten of je je kunt vinden in het hier geschetste voorstel. Mocht dat niet het geval zijn, dan verzinnen we iets anders. Maar als je ermee akkoord gaat, ja, dan hebben we niet meer dan een maand te gaan, wat ik een heerlijk gevoel vind, dat kan ik je verzekeren. Ik stel me al een hele tijd voor dat David dood is, en je hebt geen idee hoe vermoeiend het is om iedere ochtend bij het ontbijt een keurig gesprek te voeren met een lijk.

Maar eigenlijk gaat alles prima; hier ligt ook een heleboel sneeuw.

Was getekend,
je Henny

Henny Delgado
Pelikaanallé 24
Grothenburg

Gobshejm, 22 januari

Lieve Henny,

Bedankt voor je brief. Amsterdam! Wat grappig dat juist deze
stad de plaats van handeling wordt voor ons kleine drama.
Weet je nog dat we daar een keer een paar dagen in een paas-
vakantie zijn geweest? Het moet in het jaar voor ons eindexa-
men zijn geweest – Claus-Joseph en Ansgar waren er ook. Natuurlijk weet je dat nog. Die kleine jeugdherberg in de
Ferdinand Bolstraat en de zandduinen bij Zandvoort. Claus-
Joseph, die zó jaloers was dat ik amper koffie kon bestellen
bij een mannelijke ober. *Those were the days*, Henny!
   Or rather, they were not.
   Maar goed, ik ben niet zo lang geleden nog een paar keer
in Amsterdam geweest en ben daardoor redelijk bekend in de
stad. Het tijdstip komt me prima uit. Het is aan het begin
van het semester, dus dan hoef ik geen inspannend correctie-
werk en dergelijke te doen. Het lijkt me het beste dat ik vrijdag met de auto vertrek, zodat ik ruim de tijd heb. De familie
Barth kan voor de honden zorgen; ik verzin wel een reden
waarom ik dat weekend weg moet. Ik heb vast geen alibi nodig, maar ik denk dat ik liever niet in hetzelfde hotel als je

man wil zitten. Ik neem er wel eentje in de buurt. Er zitten er genoeg aan de Prinsengracht. En je kunt erop vertrouwen dat ik mijn opdracht zo goed en effectief mogelijk zal uitvoeren, Henny. Eerlijk gezegd windt het me bijna een beetje op. Pervers, niet? Ik heb op een eigenaardige manier het gevoel dat ik intenser leef. Ook ben ik – je weet maar nooit – het bos in gegaan om te proefschieten met mijn wapen. Het werkte prima. Het enige probleem is dat je het schot heel goed hoort, maar lieve hemel, een knal in een grote stad? Dat kan toch net zo goed een kapotte uitlaat zijn of zoiets. En wáár ik ook besluit om mijn daad te plegen, ik zal ervoor zorgen dat ik mezelf onmiddellijk daarna in veiligheid breng.

Dus ik zie geen enkel risico, lieve Henny. Als je me nog wat meer details over de reis van je man stuurt, beloof ik je dat ik hem naar het rijk der zaligen zal sturen over... Ja, als ik in mijn agenda op mijn bureau kijk, zie ik dat we het over het korte tijdsbestek van drie weken hebben.

Verder vind ik dat hij best charmant ouder is geworden. Ik herkende hem meteen op de foto en ik ben er honderd procent zeker van dat ik hem ook zonder baard zal herkennen (Vijfentwintig! Over ijdelheid gesproken!).

Het lijkt me verstandig als je me binnenkort het nummer van je mobiele telefoon en het adres van je hotel in München geeft. Want het lijkt me zinvol als ik je het resultaat kan laten weten zodra ik toegeslagen heb, Henny? Pure noodzaak eigenlijk? Met een sms'je of zoiets. Laten we een code afspreken, want we hebben een medium nodig dat sneller gaat dan deze brievenschrijverij. Denk je ook niet?

Ach, vrouwen zoals wij hebben dit soort details toch zo geregeld? Ook je financiële plan klinkt aantrekkelijk. Je moest eens weten hoeveel het voor me betekent om in dit huis te kunnen blijven wonen, lieve Henny. Ik verheug me erop om je hier over niet al te lange tijd te mogen ontvangen.

Maar eerst gaan we in het najaar op reis, zoals afgesproken.

En daarvoor van 14 tot 16 februari naar Amsterdam!

Was getekend, je toegenegen 'zus'
Agnes

ER IS EEN TIJD van samenleven en er is een tijd van scheiden.

Henny ontmoet mijn blik boven haar koffiekopje, en uit haar glimlach spreekt zowel ernst als spot.

'Ik bedoel ons, Agnes', verduidelijkt ze.

Pas nadat we examen hebben gedaan op Weivers, en na de zomer en de belevenissen op Kreta, gaan we ieder onze eigen weg, Henny en ik. Op 1 oktober schrijft Henny zich in bij de vakgroep Romaanse talen en gaat Italiaans studeren. Ik ben inmiddels al begonnen met de studie Literatuurwetenschap. We zijn elkaar tegen het lijf gelopen in de Kloisterlaan en café Kraus binnengewipt.

Ik ben het huis uit gegaan en heb met veel geluk in de Geigerssteeg een kamer in onderhuur weten te bemachtigen, op een steenworp afstand van de Stefanskerk. Henny blijft het eerste jaar op de universiteit thuis bij haar moeder en broer wonen.

'Het leven is geen wandeling over een open veld', zeg ik.

'Leuk om je te zien', zegt Henny. 'Maar ik heb haast.'

Onze universitaire studies vorderen gestaag. Het is uit met Claus-Joseph en Ansgar. Ik heb een tijdje iets met een jonge Fin met de naam Tapani. Hij ziet er leuk uit en is in alle opzichten goedgebouwd, maar de zware melancholie die hem overvalt zodra hij een paar glazen heeft gedronken, maakt dat ik hem verlaat. In oktober en november heeft Henny een kortstondige verhouding met een getrouwde man. Ze weet pas dat hij getrouwd is als zijn vrouw hen op heterdaad betrapt en hen beiden bijna doodslaat met een golfclub. Na dat incident besluit Henny zich een tijdje gedeisd te houden. Ze heeft een enorme jaap in haar hoofd, boven haar linkeroor. Ze zal haar hele leven een litteken houden, maar zolang ze niet kaal wordt zal niemand het zien.

'Ik had een beschermengel', zegt ze.

'Je hebt gewoon belachelijk veel geluk gehad', zeg ik.

'Als ze in plaats van een houten stok een ijzeren staaf in handen had gekregen, was ik dood geweest', zegt Henny.

Begin november ga ik bij de studententheatergroep Thalia-compagnie en krijg vrijwel meteen een grote rol in de uitvoering van *Drie zusters* van Tsjechov. In december en januari speel ik in acht bejubelde voorstellingen de rol van Masja. We zijn amateurs, maar krijgen toch goede recensies in de *Allgemejne* en *Volktagesblatt*. Beide recensenten noemen mijn vertolking van de rol 'congeniaal'. Ik ga verder met mijn studie Literatuurwetenschap, maar ik speel stiekem steeds vaker met de gedachte om me bij een toneelschool aan te melden. Daar ligt mijn passie, dat is overduidelijk. Ik vind het heerlijk als het doek opgaat en het licht van de schijnwerpers me verblindt. Ik vind het heerlijk om mensen te raken op een manier die eigenlijk alleen mogelijk is in de magische context van het theater.

Op 10 januari trouwt mijn moeder met haar baas, tandarts Oldenburg. Ze verkoopt haar appartement op de Wolmarstrasse en trekt bij hem in in Grafenswald. De avond waarop het meubilair wordt verhuisd, belt mijn vader op uit Saarbrücken om te vertellen dat hij teelbalkanker heeft.

'In allebei?' vraag ik.

'In allebei', zegt mijn vader. 'De hele klerezooi.'

Hij is vrijwel ontroostbaar, maar ik doe toch mijn best om hem te kalmeren.

De Thaliacompagnie bestaat al sinds de achttiende eeuw, en in 1983 is het precies tweehonderd jaar geleden dat de allereerste voorstelling, *De offergave* van Simson de Staël, werd uitgevoerd. Naar aanleiding hiervan en met het succes van het stuk van Tsjechov nog vers in het geheugen, stelt het bestuur van de universiteit voldoende financiële middelen beschikbaar om dit jubileum plechtig te kunnen vieren met inachtneming van waardige en artistiek verantwoorde formaliteiten en ceremonies. Het bestuur van het theater overweegt het stuk van Staël opnieuw uit te voeren, maar het wordt, terecht, verouderd geacht. In plaats daarvan wordt besloten om een professionele regisseur uit te nodigen om een stuk van Shakespeare te regisseren. Begin februari komt de groep bijeen, en onze artistiek leider, Marcus Rottenbühle, die in het dagelijks leven docent is bij de vakgroep Filosofie, kan ons verheugd meedelen dat hij David Goschmann uit München en acteur Robert Kauffner heeft weten aan te trekken voor een uitvoering van *King Lear*.

David Goschmann is een charismatisch regisseur, die ondanks zijn jonge leeftijd in München al een grote reputatie heeft verworven met sterke voorstellingen van klassieke stukken. Ook heeft hij een paar moderne toneelstukken voor televisie gemaakt, en het strekt Rottenbühle zeker tot eer dat hij hem heeft weten te strikken.

Robert Kauffner is uiteraard een legende.

'*King Lear*', zegt Rottenbühle terwijl hij peinzend aan zijn grote, grijszwarte baard krabt. Het toneelstuk der toneelstukken! Ongeveer tien rollen plus Kauffner. Past precies bij ons.

'Hoe gaan we de rollen verdelen?' vraagt Erwin Finckel, die Toezenbach in *Drie zusters* speelde.

'Goschmann verdeelt ze', legt Rottenbühle uit. 'Hij wil een klassieke auditie. Cordelia is de belangrijkste rol natuurlijk, maar eigenlijk zijn ze allemaal belangrijk. De nar. Gloucester. Edgar en Edmund.'

'Goneril en Regan', zeg ik.

'Zeker', zegt Rottenbühle. 'Grote vrouwenrollen: die moeten zorgvuldig worden ingestudeerd.'

Maar mijn besluit staat vast.

Ik ga Cordelia spelen. En ik ben niet van plan om ook maar iets aan het toeval over te laten.

Agnes R.
Villa Guarda
Gobshejm

Lieve Agnes,

Dus het staat vast! Ik kan niet ontkennen dat ik een opwinding voel die ik maar moeilijk kan onderdrukken. Als alles
volgens plan verloopt, is hij over twee weken dood. Dat komt
eigenlijk wel goed uit, want de meisjes hebben de week daarna een korte vakantie. Dan wordt hun schoolgang niet zo'n
kwelling.

Vanmorgen bij het ontbijt kreeg ik ineens het gevoel dat hij
iets vermoedt. Nee, Agnes, maak je geen zorgen, ik bedoel niet
dat David op wonderbaarlijke wijze lucht heeft gekregen van
onze plannen. Er was iets anders. Het leek wel alsof er een vlaag
van doodsbewustzijn over hem kwam. Is het niet zo dat dieren
(en mensen dus ook, neem ik aan) kunnen aanvoelen wanneer
hun tijd is gekomen? Het staat me bij dat ik niet zo lang geleden
in een blad iets over dit fenomeen heb gelezen. Hij zat op zijn
gemak zijn ochtendkoffie te drinken met de krant tegen de
broodrooster aan, zoals gewoonlijk. Maar ineens hief hij zijn
hoofd op en keek me een paar tellen aan met een heel vreemde
blik in zijn ogen. Toen glimlachte hij en hij zei dat hij ondanks
alles van me hield en dat ik goed op mezelf moest passen.

Ondanks alles, zei hij.

Ik vroeg waarom hij dat zei en wat hij bedoelde met 'ondanks alles', maar hij keek me alleen maar met dezelfde serieuze glimlach aan en toen gooide Rea haar sinaasappelsap om, waardoor het moment verbroken werd.

Het gevoel was zo sterk, Agnes. Het is me de hele dag bijgebleven. Misschien doet het me toch verdriet dat het zo moet gaan. Denk nu alsjeblieft niet dat ik begin terug te krabbelen, lieve Agnes, allesbehalve. Maar het is tenslotte geen pretje om je van iemand te ontdoen met wie je ooit dacht de rest van je leven te delen.

Maar dat zijn de regels van het spel. En als ik eraan denk wat hij heeft gedaan, krijg ik een heel ander gevoel vanbinnen. Die hufter moet dood, denk ik dan, waarna de opwinding zich langzaam meester van me maakt. Nog twee weken, Agnes!

Tot zover deze gevoelsexplosie. Laat ik me nu concentreren op kwesties van meer praktische aard. De afgelopen dagen heb ik erover nagedacht hoe de politie zal redeneren als ze het lichaam van David vinden. Ze zullen zich waarschijnlijk afvragen wat het motief is geweest, met andere woorden wat erachter zit. Hier moeten we wel twee keer over nadenken, Agnes. Moeten we niet de indruk wekken dat het om iets heel anders gaat? Voor het geval dat. De politie als het ware een soort motief in de schoot werpen. Dat lijkt me het beste. De enige oplossing die ik kan bedenken, is dat we het laten lijken op een roofmoord. Dat lijkt me in ieder geval het simpelst.

Als jij David van zijn portemonnee en Rolex verlost nadat je hem doodgeschoten hebt, zitten we gebeiteld. De politie zal denken dat de dader een of andere vage zwerver is die op zijn geld uit was, een junkie of zo. En waarom ook niet? Zeker omdat ze geen reden hebben om iets anders aan te nemen.

Ben je het hiermee eens, Agnes? Voorzover ik het kan overzien, hoeft het weinig problemen op te leveren. Onder welke omstandigheden je hem ook neerschiet (in een kamer? in een donker steegje?), het kan toch niet langer dan een paar tellen duren om je hand in zijn binnenzak te stoppen en zijn portemonnee weg te grissen? Bovendien is zijn horloge behoorlijk opvallend. Het zou erg raar zijn als een roofmoordenaar dat zou laten zitten. Je krijgt het er zo af, maak je daar maar geen zorgen over, Agnes. Trouwens, hij ligt in bed als jij toeslaat en dan liggen zijn portemonnee en horloge op het nachtkastje. Daar legt hij ze altijd neer.

Maar goed, denk er maar eens over na, Agnes, en laat me weten hoe jij ertegenaan kijkt. Maar nu even iets anders: de details over Davids verblijf in Amsterdam! Ik heb in zijn e-mail het programma gevonden dat ze hem gestuurd hebben; dat was geen probleem.

De conferentie vindt plaats in het zogeheten Niels Franke-instituut, of kortweg Franke-instituut. Het ligt redelijk centraal, aan de rand van het Vondelpark. Ze beginnen vrijdagavond tussen zes en acht uur met een soort welkomstpraatje. De veertiende dus. Er zijn tweeëntachtig deelnemers, en direct daarna dineren ze op het instituut. Dus ik neem aan dat

David pas vrij laat weer in zijn hotel is (Figaro, Prinsengracht 112, zoals ik in mijn vorige brief al schreef). Zaterdag zijn ze tussen tien en zes uur bezig, waarna ze dineren, en zondag tussen tien en drie uur. Natuurlijk zal David ook tijd doorbrengen met zijn collega's en vrijdag- en zaterdagavond naar een café gaan... als hij tenminste niet met iemand anders heeft afgesproken!

En als niet iemand anders hem al om zeep heeft geholpen. Ja, ik weet niet hoe je het best te werk kunt gaan, Agnes. Of wanneer. Wellicht zul je hem op de een of andere manier moeten schaduwen; misschien kun je 's avonds in je auto voor het instituut wachten? Ik kan je op dit punt niet erg goed helpen, maar ik vertrouw erop dat je een plan en een werkwijze weet te verzinnen. Misschien is het toch het makkelijkst als je je een tijdje schuilhoudt in zijn hotel en hem daar opwacht? Maar hoe eenvoudig, en hoe riskant, is dit? Ik weet niet hoe groot Figaro is. Hoe groter hoe beter, lijkt me. Nou ja, het is aan jou om dit uit te zoeken. Ik ben er in ieder geval vrij zeker van dat hij vrijdag eerst incheckt in het hotel voor hij naar het Franke-instituut gaat. Hij komt met de trein en is al om kwart over drie op Amsterdam Centraal. Er zat namelijk ook een bevestiging van het reisbureau in zijn e-mail. Misschien is het een goed idee als jij er dan ook bent? Misschien kun je dan meteen al toeslaan?

Maar enfin, zoals ik al zei, ik zal me niet bemoeien met de uitvoering zelf. Dat is jouw taak, Agnes, en ik vertrouw erop dat je alles naar volle tevredenheid afhandelt. Ik heb ook,

zoals afgesproken, nog eens dertigduizend euro naar je rekening overgemaakt. Ik bedenk ineens dat het voor jou moeilijk
kan zijn om uit te leggen hoe je aan al dit geld komt, maar in
die situatie zullen we nooit terechtkomen. Er bestaat geen enkel – geen enkel! – verband tussen jou en David, dat is immers
de hele opzet.

Ik realiseer me ook ineens dat we elkaar niet zo heel veel
brieven meer kunnen schrijven voordat het zover is. Ieder
nog een, vermoed ik. En je hebt helemaal gelijk dat we in het
bewuste weekend over snellere kanalen moeten beschikken.
Ik heb een kamer geboekt in Hotel Regina in München. Het
ligt aan de Hildegardstrasse, niet ver van het Marienplatz.
Mijn mobiele nummer is 069 145 1452. Ik wil het volgende
voorstellen: als je opdracht is geslaagd, bel je me op en spreek
je een fictieve boodschap in, je mag zelf bepalen wat. Maar
je moet wel de letterlijke formulering inspreken die je in je
volgende brief zet!

Als er om de een of andere reden iets misgaat, zeg je iets
anders. En als je wilt dat ik bel, zeg je er nog iets bij. (Wel
een beetje vreemd eigenlijk dat we elkaar nog steeds niet hebben gesproken, Agnes, na al dit geschrijf en deze plannenma-
kerij. Het zou leuk zijn om je stem weer eens te horen!)

Nou, wat zeg je ervan? Eenvoudig en ingenieus, vind je
niet? Laat me je drie codes weten: één voor 'Oké, alles in orde!', één voor 'Problemen!' en één voor 'Bel me!' Zet deze in je
volgende brief, naar ik aanneem je laatste (of misschien de
op een na laatste?) voor het zover is.

Verder heb ik niets bijzonders te melden, Agnes. Het leven gaat zijn gangetje. De meisjes zijn allebei een beetje grieperig geweest, maar David en ik zijn de dans ontsprongen.

En er ligt nog steeds sneeuw.

Laat snel van je horen.
Met dank verblijf ik,
Henny

PS: Wat doen we met de brieven, Agnes? Het zijn er inmiddels een flink aantal geworden. Ik vind het vervelend om ze te verbranden, maar dat is wellicht wel het verstandigste, niet?

Henny Delgado
Pelikaanallé 24
Grothenburg

Gobshejm, 2 februari

Lieve Henny,

Bedankt voor je lange brief. Inderdaad, we naderen de grote
nacht (of dag? of ochtend?) met reuzenschreden. Net als jij
voel ik een zekere opwinding, maar diep vanbinnen ben ik
ook rustig. Misschien komt dat omdat ik er lang niet zo emo-
tioneel bij betrokken ben als jij, Henny. Ik voer een opdracht
uit, bewijs daarmee een goede vriendin een gunst en krijg ervoor betaald. Zo simpel is het. Vergeet niet dat er in Europa iedere dag duizenden mensen worden vermoord. David wordt
slechts een cijfertje in de statistieken.

Desondanks spreekt het voor zich dat we uiterst behoed-
zaam te werk moeten gaan, dus bedankt voor de belangrijke
informatie die je me hebt gegeven, Henny. Volgens mij heb ik
genoeg alternatieven om uit te kiezen. Ik ga donderdag al naar
Amsterdam (Ik hoef vrijdag gelukkig geen college te geven,
ik heb de familie Barth al benaderd en ze nemen met plezier
de zorg voor de honden op zich. Vooral hun beide tienerdoch-
ters zijn dol op Wagner en Bartok). Dan kan ik de boel al een
beetje verkennen en ben ik er al als hij aankomt op het Centraal Station. Ik heb een kamer gereserveerd in een hotel aan

het Leidseplein, waar ik weleens eerder heb gelogeerd. Het ligt maar een paar honderd meter bij Figaro vandaan, zag ik op de kaart.

Feit is dat ik het Franke-instituut ken. Ik heb er zo'n tien, twaalf jaar geleden weleens een cursus gevolgd. Het is verbonden aan de universiteit, als ik het juist heb.

Ik ben het helemaal met je eens om het op een roofmoord te laten lijken. We moeten het de politie zo makkelijk mogelijk maken. Wat wil je? Wil je zijn portemonnee en Rolex terughebben of is het wellicht veiliger als ik me er meteen van ontdoe? Grappig genoeg had mijn man ook een Rolex (waar die inhalige zoon van hem om ondoorgrondelijke redenen geen aanspraak op heeft gemaakt!) en ik heb er echt geen twee nodig.

Het allerleukste vond ik om de codes te verzinnen. Ik ben het er absoluut mee eens dat we er, zoals jij voorstelt, drie nodig hebben en ik vind het heel genereus van je dat je het aan mij overlaat om ze te bedenken. Dus, alsjeblieft, bij dezen:

1) Als David dood is en alles in orde is: Hallo, George, je spreekt met tante Beatrice. Ik wil alleen even zeggen dat ik de zwarte stokrozen heb besteld en betaald. Ze komen dinsdag. Je hoeft me niet te bellen, dat kost alleen maar geld! (Verkeerd verbonden natuurlijk, net als de andere.)

2) Als er iets misgaat, maar je geen contact met me hoeft op te nemen: Hoi, schatje! Met Maud. Ik kom wat later, maar laten we als ik thuiskom ergens wat gaan eten. Kusje!

3) Als je me moet bellen: Goedendag, u spreekt met de be-

lastingdienst. Zou u zo vriendelijk willen zijn ambtenaar Hilmer te bellen op nummer 1716 646 960? Dank u wel.

Vindingrijk, niet, Henny? En ik moet je mijn mobiele nummer nog geven. Nou, daarvoor hoef je alleen het nummer van ambtenaar Hilmer om te draaien: 069 646 6171!

Ja, lieve Henny, dat was het wel zo'n beetje. Over elf dagen stap ik in de auto en zet ik koers naar Amsterdam. Hopelijk lukt het ons om daarvoor nog enkele woorden per brief te wisselen, maar voorzover ik het kan overzien, zijn er geen details meer die we moeten bespreken. Ik ben ervan overtuigd dat alles probleemloos zal verlopen en dat je echtgenoot ruim voor Pasen onder de groene zoden ligt, een wens die je in een eerdere brief uitte.

En – ik zou het bijna vergeten – bedankt voor het geld! Eigenlijk heb ik maar tachtigduizend nodig om de kwestie met het huis te regelen, maar wat overblijft komt wel van pas als we dit najaar op reis gaan, nietwaar, Henny? Je moest eens weten hoezeer ik me erop verheug!

Ik hoop dat de griep, ook in de toekomst, aan jou voorbijgaat. In Gobshejm is hij ons vooralsnog bespaard gebleven, maar je weet natuurlijk maar nooit.

Was getekend,
je trouwe vriendin
Agnes

PS: De brieven, inderdaad! Ik vrees dat je gelijk hebt. We moeten ze maar verbranden. Maar we kunnen het wel zo lang mogelijk uitstellen. Ik vind het heerlijk om terug te lezen wat je allemaal geschreven hebt.

DE GROTE ANGST.

Als ik van H-berg naar huis rij, overvalt het me. Een fysiek gevoel van iets groots en onafwendbaars. Het is zo sterk dat ik in ademnood raak, de auto moet stilzetten en moet uitstappen. Ik rook een sigaret, ondanks de miezerige, aanhoudende regen, terwijl ik mezelf tot rust probeer te brengen.

Ik bevind me aan de rand van het dorpje Worms, de Leuwelsvallei ligt onder me en achter me staat de oude stenen kerk. Mistflarden hangen boven het landschap, de schemering maakt plaats voor het donker. Ergens boven langs de bergrand is iemand hout aan het zagen met een motorzaag, op het kerkhof loopt een man met een schop op zijn schouder.

Ik sta naast de auto en probeer te begrijpen wat me dwarszit. Ik voel me omringd door tekenen die ik niet begrijp: kerk, auto, man, schop, mist, donker, geluid, kou.

Maar misschien is het gewoon de eenzaamheid. De eenzaamheid van dit project; ik moet het immers helemaal alleen doen. Heb niemand om mee te praten, zelfs hem niet. En hoe weet ik of ik alles goed inschat? Hoe?

Achteraf zal ik ook met niemand kunnen praten, nooit de bevestiging krijgen dat ik goed gehandeld heb. En hoe weet ik of ik ermee zal kunnen leven? Dat ik niet instort en alles voor niets is geweest.

En hoe moet ik deze plotselinge angst duiden? Deze zwakte. Als hij van voorbijgaande aard is, doe ik er goed aan hem te bestrijden, maar stel dat hij fundamenteel is, wat moet ik dan?

Toch is het nog niet te laat, er is een weg terug. Althans, dat maak ik mezelf wijs. Om eerlijk te zijn kan ik de consequenties niet overzien als ik me nu zou terugtrekken. Ik zit al zo lang op deze weg. Weken en maanden.

Nachten.

Ik druk mijn sigaret uit. Ik voel nog steeds een onrust in me, die als een misselijkheid of opkomende koorts door mijn lichaam giert. Ik zie dat de dorpskroeg open is en loop ernaartoe. Bestel een glas rode wijn bij meneer Kammerer en ga met een krant in een hoek zitten.

Misschien komt het door de briefwisseling. Bij de laatste brieven voelde ik een grote weerzin, niet tegen het lezen van haar brieven, maar tegen het schrijven van de mijne. Toen ik de laatste schreef, was ik onder invloed. Het was de enige manier om me over mijn afkeer heen te zetten. En de volgende keer zal ik vermoedelijk weer mijn toevlucht moeten zoeken tot dezelfde middelen. Het zal de laatste wel zijn; we hebben nauwelijks de tijd om meer brieven te schrijven.

Ik drink mijn wijn op en rook nog een sigaret. Meneer Kammerer komt aangelopen om mijn glas bij te vullen, maar ik bedank. Meer had ik niet nodig, alleen dit onbeduidende druppeltje alcohol in mijn bloed om me weer normaal te voelen. Misschien is het allemaal niet zo erg. Ik betaal, bedank hem en wandel in het donker terug naar mijn auto. Het is harder gaan regenen; na honderd meter ben ik al doorweekt.

Eenmaal thuis bereid ik het werkcollege van de volgende dag voor over de gezusters Brontë. Blader wat in *Wuthering Heights* en denk na over het gegeven liefde versus moraal.

Vind ze in zulke verschillende categorieën thuishoren dat je ze eigenlijk niet tegenover elkaar kunt zetten. Toch gebeurt dat voortdurend. Je kunt toch ook geen schaker tegenover een sumoworstelaar zetten? Wat een raar beeld, ik moet erom lachen.

Je kunt geen eend aan een vis koppelen, stel ik ook vast. Niemand had gelijk die keer.

Niemand had het mis.

Misschien nu ook niet. We zijn pionnen en stukken in een spel waarvan de uitslag vaststaat. Dat wil zeggen als we besluiten om het spel uit te spelen, en dat – en niets anders – is ons doel. Spelen of niet spelen.

Omdat het regent, maak ik die avond slechts een korte wandeling met de honden. Drink twee glazen wijn en lig al om elf uur in bed. Hoop op een droomloze nacht.

*

'En wat is er zo bijzonder aan *King Lear*?'

We hebben gezwommen en zitten in de sauna. Henny tilt

haar borsten op, bestudeert ze en laat ze op haar handen rusten.

'De linker is groter dan de rechter, of niet?'

'Wil je eerst antwoord op de *King Lear*-vraag of op de borstvraag?'

Ze denkt na en laat haar borsten los.

'Sorry. Wat is er met dat toneelstuk? Ik heb het nog nooit gezien.'

'Je hoeft het niet te zien', zeg ik. 'Je kunt het ook alleen lezen.'

'Ik heb het ook niet gelezen. Vind je me nu dom?'

'Niet meer dan anders', zeg ik vriendelijk. 'Gooi er nog wat water op, alsjeblieft, het is toch niet de bedoeling dat we het hier koud gaan krijgen? Het gaat over een oude man en zijn drie dochters.'

'Dat wist ik ook nog wel.'

'Twee dochters zijn machtsbelust en egoïstisch, de derde is goed.'

'Cordelia?'

'Ja. De oude Lear wil zijn rijk tussen zijn drie dochters verdelen. Maar omdat hij ijdel is, wil hij het grootste deel aan de dochter geven die zegt het meest van hem te houden. Cordelia houdt van haar vader, maar ze praat te zacht en krijgt niets, waarop de arme koning zijn leven in handen legt van zijn beide andere dochters. Hij verstoot zijn goede dochter en dat is het begin van zijn ondergang... De slotscène met de gek geworden koning en zijn dode Cordelia is de sterkste scène die je op het toneel kunt neerzetten.'

'Dood?'

'Ja.'

'En haar wil je spelen? De goede, dode dochter?'

Ik knik. Leg uit dat ze pas op het eind doodgaat.

'Dat is belangrijk voor je?'

Ik kijk haar geïrriteerd aan. Ze zit weer aan haar borsten te frunniken.

'Natuurlijk is dat belangrijk voor me!' zeg ik. 'Waarom zou ik me op iets storten wat niet belangrijk is? Als ik Cordelia tegenover Kauffner mag spelen en het gaat goed, heb ik alle reden om door te gaan. Om het echt een kans te geven.'

'Een carrière als actrice?'

'Nee, een carrière als loodgieter, nou goed.'

'Hm. Maar jij bent toch niet de enige die die rol wil?'

Ik zucht en denk na. 'Nee, tuurlijk niet. Het grappige is dat we weer drie zussen spelen. Eerst Tsjechov en nu Shakespeare. Renate en Ursula, die Olga en Irina speelden, willen Cordelia natuurlijk ook spelen, anders zouden ze niet goed wijs zijn. En er schijnen meer concurrenten te zijn. De Thalia-compagnie heeft er nieuwe leden bij gekregen.'

'Ik snap het', stelt Henny na een korte stilte vast. 'Goschmann en Kauffner zijn dus grote namen?'

'Dat kun je wel zeggen', zeg ik.

'En hoe gaat de eigenlijke... hoe heet het... selectieprocedure in zijn werk?'

'De auditie', verduidelijk ik. 'We hebben twee scènes ge-

kregen die we moeten instuderen. Eentje helemaal in het begin en een aan het eind. Over twee weken komt Goschmann
ons een hele dag beoordelen.'

We stappen de sauna uit en gaan onder de douche staan. Ik
merk dat Henny diep nadenkt en dat het haar begint te dagen.
Ze knijpt haar ogen halfdicht en zuigt aan een pluk haar, iets
wat ze sinds haar elfde, twaalfde al doet. Ik denk bij mezelf
dat ik haar beter ken dan zij zichzelf.

'Kan ik je misschien helpen?' vraagt ze als we bij de kleed-
kastjes zijn.

'Graag', zeg ik. 'Ik heb iemand nodig om te lezen en tegen
wie ik kan spelen.'

'Mij?' vraagt Henny met een kinderachtige lach.

'Jou', zeg ik. 'We beginnen vanavond. We hebben veertien
dagen de tijd.'

'*En nu, mijn vreugde,*' buldert Henny, '*mijn jongste en kleinste,
om wier prille liefde de wijn van Frankrijk en Boergondiës melk
wedijvren met elkaar, wat kun jij zeggen, om je een rijker derde
te verwerven dan je twee zusters? Spreek.*'

'*Niets, vader*', zeg ik.

'Goed', zegt Henny.

'Ik wil niet dat je commentaar geeft op mijn tekst', zeg ik.
'Je bent mijn tegenspeelster.'

'Prima', zegt Henny. 'We beginnen opnieuw... *Wat kun jij
zeggen, om je een rijker derde te verwerven dan je twee zusters?
Spreek.*'

'Niets, vader', herhaal ik.

'Niets?'

'Niets.'

Henny snuift. '*Uit niets kan ook niets komen. Spreek nogmaals.*'

'*Rampzaal'ge die ik ben,*' zeg ik en ik sla mijn ogen neer, '*ik kan mijn hart niet naar mijn lippen tillen; ik heb uw hoogheid lief zoals mijn plicht het eist; niet meer, niet minder.*'

'Dat is goed', zegt Henny. ' "Ik kan mijn hart niet naar mijn lippen tillen." Hartstikke goed!'

'Nogal logisch', zeg ik geïrriteerd. 'Het is *King Lear*. Het is Shakespeare.'

'Ik snap het', zegt Henny. 'Het spijt me. We doen het nog een keer, ik zal je niet meer onderbreken.'

'Vanaf het begin', zeg ik.

We zwemmen drie keer in de week en daarna oefenen we. In totaal zes keer in veertien dagen. Eerste bedrijf, eerste scène en vierde bedrijf, zevende scène. In de laatste scène speelt Henny zowel Kent, de arts, als Lear. En al na de tweede of derde poging kennen we de tekst uit ons hoofd. Ik merk dat Henny thuis ook heeft geoefend.

Achteraf geeft ze me raad.

'Zachter', zegt ze. 'Je moet proberen zo toonloos mogelijk te zijn.'

'Toonloos?' vraag ik.

'Zo', zegt Henny. '*O goede goden, heel de grote scheur in zijn*

gewonde ziel, o stem opnieuw de rauwe wanklank van 't ontred-
derd brein, dat tot de kindsheid is teruggekeerd.'

Dit kent ze ook al uit haar hoofd.

'Ze vraagt iets, maar ze durft eigenlijk niet te geloven dat het iets oplevert', legt Henny uit. 'Volgens mij is dat de bedoeling. Je moet zo zacht mogelijk praten. Maar het moet natuurlijk wel te horen zijn.'

Ik laat het even bezinken en doe een poging.

'Goed', zegt Henny. 'Veel beter. Ik wist niet dat toneelspelen zo spannend kon zijn.'

We proberen het nog een keer en nog een keer. Als we tevreden zijn over de woorden en de intonatie, oefenen we de mimiek en lichaamshouding. Henny is enthousiast en komt steeds met nieuwe ideeën. De dag voor de auditie gaan we tot na middernacht door. Ook pas ik een jurk die ik aan wil doen. Het is een eenvoudige witte, katoenen jurk, maar hij is lang, waardoor je niet kunt zien dat ik blote voeten heb. Ik heb geen idee wat Goschmann ervan vindt, maar ik wil de planken onder mijn onbedekte voeten voelen als ik op het podium sta. Als de rol het toelaat, natuurlijk. Het geeft een soort kracht die ik tot in mijn stembanden voel.

'Het wordt tijd om te stoppen', zeg ik uiteindelijk. 'Ik moet morgen als eerste. Om elf uur. En ik moet mijn haar ook nog wassen.'

'Wel los dragen, hè.'

'Weet je dat zeker?'

'Heel zeker', zegt Henny. 'Dan ben je op je mooist. Schoonheid en goedheid moeten als het kan hand in hand gaan.'

Het klinkt als een van de dingen die we altijd in onze opstellen voor juffrouw Silberstein schreven. We omhelzen elkaar en nemen afscheid.

'Succes', zegt Henny. 'Doe je best en wees bescheiden. Ik
zal voor je duimen.'

'Graag', zeg ik. 'Hartstikke bedankt voor je hulp, Henny.'

Agnes R.
Villa Guarda
Gobshejm

Grothenburg, 10 februari

Lieve Agnes,

Bedankt voor je brief, leuk om te lezen. Helaas zullen er niet zoveel meer volgen en – dat doet me het meest pijn – helaas wordt het ook tijd om onze hele correspondentie te gaan verbranden. Ik heb vanavond al je brieven nog een keer gelezen; negen zijn het er. David heeft een vergadering en de meisjes slapen. Maar ik wacht nog een krabbeltje van je af voor ik alles in brand steek. Ik neem aan dat je nog wat van je laat horen voordat je naar Amsterdam gaat. Kun je alsjeblieft uiterlijk donderdag nog een kort briefje op de bus doen? Dan kan ik dat lezen voor ik afreis naar München. Ik vertrek vrijdagmiddag om drie uur.

Ik heb het programma van de vertaaldagen (zo heten ze) gekregen. Het kwam wel een beetje laat, maar dat is niet zo belangrijk, lijkt me. Ik ben sowieso de hele zaterdag en zondag bezet (ik denk nu aan mijn alibi, zoals je vast wel begrijpt). Maar op vrijdagavond is er niets gepland, dus dan moet ik er maar voor zorgen dat ze me bij de receptie van het hotel een paar keer zien. Of ik kan een paar uur doorbrengen in het restaurant, als dat er is.

Voor het geval je de eerste avond al toeslaat.

Ja, stuur me nog een briefje, Agnes, alsjeblieft. Meer heb ik nu niet op het hart. Het is maandag, en volgende week om deze tijd is het voorbij. Het voelt raar en bevrijdend tegelijk. Toen ik vandaag langs de winkel van Kemperling liep – je weet wel, die op het Grote Plein naast Kraus – viel mijn oog op een zwarte jurk in de etalage. Als ze die volgende week nog hebben, ga ik hem kopen. Ik stond vandaag al op het punt om dat te doen, maar ik kon me toch bedwingen. Het zou wel een beetje te veel opvallen als een weduwe haar rouwgewaad koopt terwijl haar man nog in leven is, nietwaar, Agnes?

Enfin, mogen de goden ons bijstaan. Ik vertrouw erop dat je je zenuwen de baas blijft. Ik heb je spitsvondige codes in mijn geheugen gegrift en kijk uit naar a) een korte brief van je op donderdag en b) een telefoontje komend weekend.

Verder is het hier in Grothenburg regenachtig en mistig, maar de griep lijkt deze keer aan mij te zijn voorbijgegaan. Ik hoor Davids voetstappen op de trap, dus ik hou snel op.

Je Henny

PS: (Dinsdagochtend) Alsjeblieft, Agnes, aarzel niet om onmiddellijk te bellen, al is het midden in de nacht! Ik wil het zo snel mogelijk horen als het gebeurd is.
PPS: En vergeet alsjeblieft niet de brieven te verbranden, Agnes! Het zou een ramp zijn als iemand ze zou vinden!

Henny Delgado
Pelikaanallé 24
Grothenburg

Gobshejm, 12 februari

Lieve Henny,

Het is woensdagavond laat. Morgen moet ik twee colleges geven en daarna stap ik in de auto en rij ik direct naar Amsterdam. Als er niet te veel verkeer op de weg is, kan ik er om negen uur zijn.

Eerst een nacht goed slapen in mijn hotel en daarna ben ik
klaar om je man om kwart over drie op het Centraal Station
te zien arriveren.

En dan kijken we wel weer verder.

Ik heb het wapen en de munitie in mijn koffer gestopt. Het
pistool heb ik eerst een hele tijd in mijn hand gewogen voor
ik het heb ingepakt. Ik vind het wel een raar idee dat dit meta-
len dingetje met een lichte druk van mijn wijsvinger een einde
gaat maken aan een mensenleven. Alle voorbereidingen en inspanningen monden uit in één enkele vingerbeweging. Ik
kon het niet laten om me af te vragen of het iets over ons leven
zegt. Levens in het algemeen, bedoel ik. Hun intrinsieke
kwetsbaarheid. Het klopt toch dat ze zich na een bepaald moment vernauwen en niet meer verwijden? Mensenlevens. Dat
denk ik. Maar wannéér, Henny? Vanaf welk moment wordt

ons levenspad ineens smaller in plaats van breder? Wanneer beginnen we ons — doelbewust of onbewust of beide — in een engere richting te begeven? Want, lieve Henny, hoewel ik het gevoel heb dat er hierna nieuwe mogelijkheden voor ons liggen (hereniging, gesprekken, reizen...), heb ik ook het gevoel dat alles steeds beperkter wordt. Of misschien zie ik het wel verkeerd. Ik heb weer wijn gedronken. Misschien worden mijn gedachten wel veroorzaakt door tijdelijke stemmingen en de regen die onophoudelijk tegen het raam zwiept. Hoe dan ook, ik beloof in A. van de wijn en de drank af te blijven. In ieder geval tot ik mijn opdracht heb uitgevoerd.

Maar ik maak me geen zorgen, ik ben eerder blij dat het bijna zover is. Ik ben geen type dat van wachten houdt. Wat denk je? Klopt dat met het idee dat je vroeger van me had?

Veel meer hoeft me niet van het hart, maar je wilde dat ik wat schreef. Voor ik je brieven tien minuten geleden tot as heb zien worden, heb ik ze vanavond allemaal opnieuw gelezen. Ga nu vol vertrouwen naar bed. Zoals gezegd bel ik je vanuit A. en misschien zien we elkaar op Davids begrafenis.

Of denk je dat het te riskant is om die bij te wonen, lieve Henny? Maar jij was toch ook op die van Erich?

Hoe dan ook, ik wens je een fijn en vruchtbaar verblijf in München! Ik hoop van harte dat het weer daar en in Amsterdam beter is dan hier. Een beetje lente in de lucht zou geen kwaad kunnen.

Was getekend,
je Agnes

DAVID GOSCHMANN IS EEN donkere man, maar zijn ogen zijn zo blauw dat het ervan afspat.

'Wat betreft de vrouwenrollen houden we nu alleen auditie voor Cordelia', zegt hij. 'Ik neem morgenochtend contact op met degene die hem krijgt. Uiterlijk om twaalf uur.'

Ik knik.

'Vergeet niet dat je, net als de anderen, onderworpen wordt aan een grote willekeur.'

'Met hoeveel zijn we?' vraag ik.

'Vier. Degenen die Goneril en Regan willen spelen, komen morgenavond.'

'Ik begrijp het', zeg ik.

'Eventueel kunnen we de nar ook door een vrouw laten spelen. Ik neem aan dat je weet dat Cordelia een groot deel van het stuk afwezig is?'

'Jazeker.'

'Jij hebt dus Masja gespeeld in *Drie zusters?*'

Ik beken dat ik Masja heb gecreëerd.

'Sprak ze je aan?'

Ik geef toe dat ze me aansprak. Zowel het personage als de rol.

'Ik heb een paar stukken van Tsjechov geregisseerd', zegt David Goschmann. 'Ik zou er best meer willen doen, maar hij heeft er niet zo heel veel geschreven en je moet er toch ook een paar voor je oude dag bewaren.'

Hij glimlacht en het blauwe straalt. Hij kan niet ouder zijn dan achtentwintig, dertig.

'Met wie speel ik?' vraag ik en ik kijk om me heen. Goschmann en ik zijn de enigen in de zaal.

'Rotten...? Hoe heet hij ook alweer?'

'Rottenbühle?'

'Rottenbühle, inderdaad. Had je liever iemand anders gehad?'

'Nee, hoor. Als ik in het echt maar niet met hem hoef te spelen.'

Hij lacht en belooft dat er te zijner tijd andere acteurs komen.

'Wil je misschien eerst even gaan liggen om je te concentreren? Rottenbühle komt vast te laat.'

'Graag, dank je.'

'Je ziet er goed uit.'

'Dank je.'

'Ben je van plan om hiermee door te gaan?'

'Met toneel?'

'Ja.'

Ik haal mijn schouders op. Heb er spijt van, maar een schouderophaling valt niet terug te draaien.

'Misschien', zeg ik. 'Ik sluit het niet uit.'

'Ik zal je wat namen geven', zegt Goschmann. 'Goede scholen. Als je daarin geïnteresseerd bent, tenminste?'

'Graag, dank je', zeg ik opnieuw. 'Ik ben zeker geïnteresseerd.'

De deur gaat open en Rottenbühle komt binnen. Hij is duidelijk verkouden en niest drie keer.

'Het spijt me dat ik te laat ben.'

'Geen probleem', zegt Goschmann glimlachend. 'Ik weet niet of Cordelia zich eerst nog wil concentreren. Of kunnen we meteen beginnen?'

'Wat mij betreft kunnen we meteen beginnen', zeg ik.

Ik weet wat het is dat Goschmann heeft.

Aanwezigheid. Als hij een kamer binnenkomt, ontstaat er een krachtveld. De energie neemt merkbaar toe. Ik voel me gezien en intelligent. En belangrijk. Ik heb dit nog nooit eerder meegemaakt, maar ik begrijp onmiddellijk wat er gebeurt.

Hij zit in de zaal, een behoorlijk eind bij ons vandaan. Op de zevende of de achtste rij. Ik speel weliswaar tegen de verkouden Rottenbühle, maar tegelijkertijd speel ik ook tegen Goschmann. Het gaat natuurlijk om dezelfde diagonaal als altijd, maar ook om iets nieuws en onbeproefds. Het is een vreemd gevoel, ik kan niet vaststellen of het positief of negatief is, of het het gevoel dat ik in mijn spel leg versterkt of afzwakt.

We spelen krap een halfuur. Doen beide scènes twee keer. Goschmann geeft geen commentaar, maar ik weet dat hij iedere millimeter van mijn lichaam en iedere ademhaling registreert. Als ik het Kellertheater uit kom, waar we zaten en waar we altijd zijn, ben ik uitgeput en duizelig, alsof ik een grote lichamelijke krachtsinspanning heb geleverd.

Alsof ik twee uur lang de liefde heb bedreven, iets wat ik in mijn eenentwintigjarige leven nog nooit heb gedaan.

Ik ga in Café Adler om de hoek aan een tafeltje zitten en bestel een biefstuk en een glas bier. Denk bij mezelf dat ik voor het eerst een man heb ontmoet waarin ik echt geïnteresseerd ben.

Die echt bij me past.

Later die avond, op deze winderige zaterdag in februari zonder ook maar een zweem van lente in de lucht, gebeurt er iets wat ik eigenlijk alleen maar kan duiden als een goed teken.

Mijn eenkamerappartementje, waar ik nu ruim een halfjaar woon, bevindt zich boven in een oud pand in de Geigerssteeg. Op de vijfde verdieping, zonder lift. Het is een hok, maar het schuine dak en de onregelmatige vormen hebben hun charme en ik heb in deze fase van mijn leven niet meer ruimte nodig.

Op mijn verdieping woont ook een ouder echtpaar, meneer en mevrouw Linkoweis. Ze zijn allebei vijfenzeventig en een beetje gebrekkig, hij meer dan zij. Mevrouw Linkoweis loopt de trappen het vaakst op en neer, minstens één keer per dag. Dan gaat ze naar het plein, waar ze haar dagelijkse benodigdheden uitkiest, die ze vervolgens thuis laat bezorgen. Soms doe ik boodschappen voor hen, maar alleen bij hoge uitzondering. Ze willen liever voor zichzelf zorgen. Meneer Linkoweis, die naar de ongewone voornaam Sigisbard luistert, komt hooguit om de drie of vier dagen buiten. Met slecht weer ziet hij geen enkele reden om zijn neus buiten de deur te steken en met lekker weer neemt hij er genoegen mee om op hun kleine balkonnetje te zitten, dat uitkijkt op de binnenplaats, die ik kan zien vanuit mijn minuscule raampje in mijn minuscule keukentje.

Als ik die zaterdag thuiskom (na de biefstuk bij Adler dus, en na een paar nogal ineffectieve studie-uren in de bibliotheek), tref ik mevrouw Linkoweis voor mijn deur aan, samen met de conciërge, meneer Bloeme. Mevrouw Linkoweis ziet eruit alsof ze ieder moment kan flauwvallen; haar gezicht is spierwit en ze staat te schuimbekken zonder dat er geluid over haar lippen komt. De deur van het appartement van het echtpaar staat open. Meneer Bloeme legt uit wat er aan de hand is.

'Meneer Linkoweis is doorgedraaid', stelt hij vast en hij zucht diep.

Meneer Bloeme rookt vijftig sigaretten per dag en laat zich slechts bij hoge uitzondering op de bovenste verdiepingen van het gebouw zien.

'Dat meent u niet', zeg ik.

'Jawel', sist Bloeme. 'Hij staat op het balkon en wil springen.'

Met een nicotinegele, bevende vinger wijst hij dreigend

naar het appartement van het echtpaar Linkoweis. Mevrouw Linkoweis stopt met schuimbekken, pakt mijn arm beet en begint te jammeren.

'Alsjeblieft', smeekt ze. 'Alsjeblieft.'

Ik schud ongelovig mijn hoofd.

'Hij is over de reling van het balkon geklommen', legt Bloeme uit. 'Hij staat daar en houdt zich met één hand vast. Als we dichterbij komen of hulp gaan halen, laat hij los!'

'Hoe weet u dat?' vraag ik.

'Dat zegt hij.'

'Hoe lang staat hij daar al?'

'Tien minuten ongeveer', zegt Bloeme. 'Ik ben hier net. Simone heeft me erbij gehaald.'

Ik wist niet dat de voornaam van mevrouw Linkoweis Simone luidde. Maar ze knikt instemmend terwijl ze haar nagels in mijn bovenarm begraaft. Sigisbard en Simone, denk ik bij mezelf.

'Alsjeblieft', zegt ze opnieuw.

'Wat gaan jullie doen?' vraag ik.

Bloeme ijsbeert wat en tast in zijn borstzak naar sigaretten. Hij heeft een peuk achter zijn oor, waar hij zich echter niet van bewust lijkt te zijn.

'Ik weet het niet', zegt hij. 'Wat moeten we verdomme doen? Dat dit nou net vandaag moet gebeuren.'

Simone Linkoweis begint hard te huilen. Ik denk even na over wat meneer Bloeme met 'nou net vandaag' bedoelt. Misschien is hij jarig?

'Denken jullie dat hij het meent?' vraag ik. 'Het kan toch zo zijn dat...'

'Hij meent het', zegt Bloeme beslist. 'Geen twijfel mogelijk. Hij is vijfenzeventig, potdorie!'

Ik begrijp niet wat zijn leeftijd te maken heeft met het feit dat hij het meent, maar ik doe geen moeite om daarachter te komen.

'Zal ik naar hem toe gaan?' stel ik daarentegen voor. 'Willen jullie...?'

Simone Linkoweis staart me aan met een uitdrukking op haar gezicht die het midden houdt tussen machteloosheid en een radeloze smeekbede. Ik bevrijd me voorzichtig uit haar greep.

'Hier blijven', zeg ik. 'Ik ga binnen poolshoogte nemen.'

'Niet te dichtbij komen, hoor', zegt Bloeme. 'Dan springt hij!'

Ik knik en loop voorzichtig door de deur naar binnen. Kom in de gang, maar hiervandaan is het balkon niet te zien. Ik loop rechtsaf de woonkamer in, die zo volgestouwd is met meubels en prullaria dat je je er bijna niet kunt bewegen, en dan zie ik hem door de open balkondeur.

Hij staat precies zoals Bloeme hem heeft beschreven. De zwarte spijlen van de reling zijn niet meer dan zeventig, tachtig centimeter hoog en ik kan zien dat het niet moeilijk kan zijn geweest om eroverheen te klimmen, zelfs niet voor iemand met Sigisbard Linkoweis' gebrekkige lenigheid. Daar staat hij, schuin van me afgewend en volledig geconcentreerd op de binnenplaats beneden. Ik weet dat de valhoogte ten minste twaalf meter moet zijn en dat de binnenplaats bedekt is met onregelmatige straatkeien. Als hij los zou laten, zou dat ongetwijfeld zijn dood betekenen.

En hij houdt zich maar met één hand vast aan de reling. Bovendien hangt hij ook nog een beetje naar voren.

Ik blijf midden in de kamer stilstaan, besluiteloos. Hij heeft mijn aanwezigheid nog niet opgemerkt, maar de afstand tussen ons is vijf, zes meter. Ik probeer de situatie vlug in te schatten. Een snelle uitval zou zonder meer een fatale afloop kunnen hebben, niet in de laatste plaats omdat er een schommelstoel en een tafel in de aanvalslinie staan.

Ik bestudeer hem. Hij draagt een grijze broek en een dun, bruinachtig vest. Als hij inderdaad al tien minuten buiten staat, moet hij het nu ijskoud hebben. Het is maar een paar graden boven nul.

'Jullie trouwelozen!' roept hij ineens met luide stem, en ik begrijp dat hij zich tot een of meer toehoorders buiten richt. Ik zet voorzichtig een stap opzij en krijg duidelijk zicht op een vrouw op een ander balkon aan de overkant van de binnenplaats. Ik weet niet hoe ze heet, maar ik ben haar een paar keer tegengekomen en ik ken haar van gezicht. Ze heeft een teckel, die vaak een groen truitje draagt.

'Als jullie de politie bellen, spring ik meteen!' dreigt Sigisbard Linkoweis. 'En dan zullen jullie allemaal vernietigd worden! Ik sta in contact met de koning van het heelal!'

Ik zie dat conciërge Bloeme een vrij accurate beoordeling van zijn gemoedstoestand heeft gemaakt. Ik zet een stap dichterbij. Sta ter hoogte van de schommelstoel.

'Ik heb zo verdomde genoeg van jullie!' buldert Linkoweis. 'Schoon genoeg! Zo meteen ga ik springen en dan zullen jullie sterven als vliegen!'

Ik aarzel. Ruim een halve minuut lang gebeurt er niets. De hand van meneer Linkoweis die de reling vasthoudt, ziet er krampachtig wit en bloedeloos uit. Ik besluit om in ieder geval iets dichterbij te komen.

'Ik ben radeloos. Ik wil niet meer radeloos zijn!'

Ik loop om de tafel heen. Hij is nog maar drie meter bij me vandaan, maar dan ineens stoot ik tegen een voetstuk aan met een urn erop. De urn weet ik op te vangen, maar het voetstuk belandt met een klap op de grond.

'Heremijntijd!'

Hij draait zijn hoofd om en ziet me.

Nee, misschien ziet hij me ook wel niet, want hij draagt geen bril. Ik weet dat hij behoorlijk slechte ogen heeft, want dat is een van de dingen waar mevrouw Linkoweis zich regelmatig over beklaagt.

'Sigisbard ziet zo slecht', zegt ze altijd. 'Binnenkort kan hij niet meer lezen, straks is hij blind.'

Maar hij weet dat er iemand in de kamer staat. 'Wie is daar?' brult hij; zijn stem is echt verbazingwekkend krachtig. 'Niet in de buurt komen, want dan laat ik los!'

Er klinkt een vleugje angst in zijn stem, dat ontgaat me niet. Ik sta als aan de grond genageld en ik weet niet wat ik moet doen. Achter me denk ik dat ik mevrouw Linkoweis en meneer Bloeme hoor binnenkomen. Ik bevochtig mijn lippen en neem een aanloop.

'Ik ben het maar, Sigisbard', zeg ik. 'Kom, dan zal ik je troosten.'

Eerst reageert hij niet. Staat net zo vastgenageld als ik, nog steeds met maar één hand om de reling. Op een afstand hoor ik het geroezemoes van stemmen buiten. Misschien staan er wel overal mensen op de balkons, misschien drommen ze wel samen op de binnenplaats.

Enkele seconden gaan voorbij.

'Kom dichterbij, dan kan ik je zien', zegt hij.

Ik zet drie stappen en blijf in de deuropening staan. Ik zou bijna mijn hand kunnen uitsteken en hem kunnen vastpakken, maar dat durf ik niet.

'Stop!' zegt hij. 'Niet verder. Ik spring!'

Ik reageer niet.

'Wie ben jij?' vraagt hij opnieuw.

'Ik ben het', zeg ik. 'Kom maar hier.'

Hij aarzelt nog een paar tellen. Verandert geleidelijk aan van houding. Zachter, ontvankelijker. Misschien heeft hij zijn hele leven nog nooit iemand deze woorden horen zeggen, misschien heeft hij ze altijd wel willen horen. Hij slaakt een diepe zucht, klautert over de reling en ik neem hem in mijn armen.

Hij voelt ijskoud aan en barst meteen in onbedaarlijk huilen uit.

Nee, dit kan ik niet anders duiden dan zijnde een teken.

David Goschmann
Hotel Figaro
Prinsengracht 112
Amsterdam

Liefste David,

Ik weet dat het niet gebruikelijk is voor een echtgenote om haar man op deze manier een brief te schrijven (zeker niet in deze tijd en als ze niet langer dan een paar dagen zonder elkaar zijn), maar ik kan het eenvoudigweg niet laten. Soms komen er gedachten of ideeën bij je op die je alleen van je af kunt schudden door ze te verwezenlijken.

Ik hou van je, David. Dat is eigenlijk wat ik wil zeggen: de triviaalste frase van alle frasen en tegelijk het warmste en meest serieuze gevoel dat we kunnen koesteren.

Het is me opgevallen dat we de laatste tijd niet in staat zijn om onze liefde voor elkaar te uiten, zoals we elkaar ooit beloofd hebben. Dat is net zomin jouw schuld als de mijne. We dragen allebei geen schuld. Laten we onszelf echter niets verwijten. Maar vind je ook niet dat het leven van alledag en de tirannie van de sleur ons leven binnen is gedrongen, David? Volgens mij is dat het probleem, en ik geloof geen moment dat het iets anders zou kunnen zijn.

Maar ik weet dat je cirkels moet doorbreken voordat ze vicieus worden, daar hebben we het al zo vaak over gehad. Voor je het weet neem je elkaar voor lief, David. Laten we daar wat aan doen.

Laten we beseffen dat het een voorrecht is om met elkaar te mogen leven en onze dochters samen te mogen zien opgroeien. Laten we de liefde opnieuw de plaats in ons leven geven die haar toekomt.

Laten we elkaar liefhebben tot de dood ons scheidt, David, zoals we ooit afgesproken hebben.

Deze eenvoudige, en tevens moeilijke, woorden wilde ik in deze brief kwijt, mijn liefste. Ik wens je een fijne tijd in Amsterdam en ik kijk uit naar je thuiskomst.

Voor eeuwig de jouwe,
Henny

OF DE NACHT INDERDAAD droomloos was, weet ik niet. Ik kan me in ieder geval niets herinneren als ik om halfzeven wakker word, en ik heb het gevoel dat ik helemaal niet geslapen heb. Ga naar buiten met de honden en maak een lange wandeling langs de rivier naar de Manneringsbrug. Die ga ik over en ik loop door het bos omhoog naar de horst bij Gandwitz. De lucht is hier zacht, er staat bijna geen wind en de mist is opgetrokken. Ik rust even uit, ga op een omgevallen boomstam zitten en kijk uit over het landschap. De honden hebben rondgerend en liggen nu hijgend aan mijn voeten.

Míjn landschap. Het is natuurlijk niet mijn eigendom, maar ik voel heel sterk dat niemand me deze streek kan doen verlaten. Ik hoor hier thuis. Ik zou er een moord voor doen om hier te kunnen blijven. Deze woorden komen bij me op zonder dat ik erover na hoef te denken.

Op de terugweg breekt de zon door, en bezweet stap ik onder de douche. Daarna ontbijt ik en ga ik pakken. Ik wikkel het pistool in een geitenwollen sok, stop de munitie in de andere. Leg ze zorgvuldig op de bodem van mijn koffer; waarom weet ik niet, maar wellicht is dit het meest logisch. Misschien pakt een professionele moordenaar ook wel op deze manier.

Om tien uur ben ik klaar, laat de honden in de auto en breng ze naar de familie Barth. We wisselen slechts enkele, maar wel vriendelijke woorden. Ze wensen me een fijne tijd in Berlijn. Meneer Barth heeft er vijf jaar gewoond, maar hij mist het niet, helemaal niet. Om de een of andere reden zijn ze allebei vrij, maar hun dochters zitten op school.

'Ik ben zondagavond terug', beloof ik. 'Ik bel zodra ik weet hoe laat ik er weer ben.'

'Ze mogen best tot maandag blijven', verzekert mevrouw Barth me. 'Dat is geen probleem.'

'We kunnen ze ook helemaal overnemen', grapt meneer Barth. 'Misschien dat onze dochters dan wel van ons gaan houden.'

'Nou... nee', zeg ik eerlijk. 'Ik kan niet echt zonder ze, ik ook niet.'

'Je hebt gewoon een vent nodig', zegt meneer Barth, waarop zijn vrouw haar handen gelaten uitslaat en uitroept: 'Wat moet ze in hemelsnaam met een vent?'

Meestal probeer ik aandacht te besteden aan arme Anne als ik over de gezusters Brontë vertel, en ook deze keer doe ik dat.

Benadruk dat ze slechts negenentwintig jaar is geworden en dat zowel *Agnes Grey* als *The Tenant of Wildfell Hall* weliswaar zijn tekortkomingen heeft in vergelijking met *Wuthering Heights* en *Jane Eyre*. Maar welke roman heeft dat niet?

Ook vertel ik dat haar twee oudere zussen haar op alle mogelijke manieren kort hielden.

'Kun je ze ergens krijgen?' vraagt iemand, en ook dit semester leen ik mijn exemplaren van Anne Brontës twee boeken uit.

Maar ik merk dat ik moeite heb om me te concentreren, hoewel het onderwerp me na aan het hart ligt. Daarom beëindig ik het college twintig minuten eerder, zeg dat ik op tijd in Berlijn moet zijn, en de studenten hebben er uiteraard niets op tegen om iets eerder op te houden.

Ik laat mijn aktetas in mijn werkkamer liggen. Mocht ik de colleges van maandag moeten voorbereiden, dan kan ik 's morgens een paar uur eerder komen.

Het is nog maar halfdrie als ik de parkeerplaats af rijd en het universiteitsterrein verlaat. Na vijf minuten rijden krijg ik al last van een dwanggedachte. Ik stop op een parkeerplaats vlak voor een oprit naar de snelweg om te controleren of mijn koffer nog wel in de kofferbak ligt.

Hij ligt er.

Eigenlijk zou ik ook willen controleren of het wapen en de munitie op hun plek liggen, maar dat is onmogelijk. Niet in het volle daglicht op een parkeerplaats.

Rustig, Agnes, denk ik bij mezelf als ik weer achter het stuur zit. Je moet je kalmte bewaren.

Maar ik merk dat mijn hartslag en ademhaling sneller zijn dan normaal. Ik maak mezelf wijs dat het niets met nervositeit te maken heeft, maar dat het gevoel dat ik intenser leef, zoals ik Henny al schreef, een uitlaatklep zoekt.

Hoewel ik voordat ik het centrum in rijd stop om een platte-grond van de stad te bekijken, heb ik moeite om het hotel te vinden. Een paar straten met eenrichtingsverkeer zorgen ervoor dat ik de weg kwijtraak. Ook zit ik midden in de spits, en het regent dat het giet. Maar uiteindelijk ben ik in de juiste straat. Ik stop voor de amper zichtbare entree, loop naar bin-nen, en de receptioniste vertelt me hoe ik in de parkeergarage moet komen.

Ik check in, betaal vooruit met contant geld en hoef me niet te legitimeren. Dan sluit ik me op in mijn kamer. Pak mijn koffer uit, stop mijn wapen tussen de extra dekens in de kle-dingkast en laat het bad vollopen.

Lig een halfuur in het schuim, dat naar limoen en pasge-maaid gras ruikt, en ontspan me. Drink het flesje rode wijn uit de minibar op en rook een sigaret. Ik voel me lang niet zo verdorven als eigenlijk zou moeten. Ik denk bij mezelf dat het allemaal redelijk in de lijn ligt van de aard van deze reis. Opnieuw vergelijk ik mezelf met een beroepsmoordenaar. Misschien bereidt hij (zij?) zich wel op dezelfde manier voor. Waarom niet?

Ik eet in de eetzaal van het hotel en ga naar buiten. Het is opgehouden met regenen, maar er staat een schrale wind. Ik verken de buurt en zoek de kortste weg naar de plaats van het misdrijf. Het is een afstand van nog geen drie-, vierhon-derd meter. Een wandeling langs nauwelijks verlichte straten, donkere geparkeerde auto's, een paar slecht bezochte cafés. Ik loop langzaam langs het hotel; het is groter dan ik had verwacht en het lijkt een echte lobby te hebben, wat natuurlijk een voordeel is. Het zal ongetwijfeld weinig moeite kosten om ongemerkt binnen te komen. Ik word vast niet tegengehouden als ik de trap op loop naar zijn kamer.

Bovendien ben ik verkleed. Een beetje maar, maar wel voldoende. Een lichte pruik en een getinte bril. Niemand zal me ooit in verband brengen met deze moord, dus waarom de boel overdrijven?

Ik ga terug naar mijn eigen hotel. Kijk naar een waardeloze Franse film op televisie en lees een paar bladzijden uit een recent proefschrift over Lou Salomé.

Om halfeen doe ik het licht uit en bedenk hoe de situatie er over precies een etmaal uit zal zien.

*

De volgende dag word ik al om halfzeven wakker en ik weet niet of ik gedroomd heb. Maar het voorval met meneer Linkoweis de dag ervoor duikt onmiddellijk op in mijn bewustzijn, dus waarschijnlijk is hij 's nachts in mijn gedachten geweest.

Ik lig een tijdje wakker en denk aan hem. En aan de gebeurtenissen nadat het me gelukt was om hem van het balkon af te krijgen. Tegen zijn wil werd hij naar het ziekenhuis gebracht. Hij huilde als een kind en smeekte om thuis te mogen blijven. Maar zowel zijn vrouw als zijn zus — een lange, vergroeide vrouw met bittere gelaatstrekken, die vrijwel onmiddellijk na het drama op de plaats van handeling verscheen —

was onverbiddelijk. Meneer Linkoweis klampte zich aan me vast toen twee verplegers kwamen om hem mee te nemen naar een inrichting. Als enige reden werd gegeven dat hij gek was en behandeld moest worden.

'Ik ben radeloos!' weerklonk het in het trappenhuis op weg naar beneden. 'Begrijpen jullie dan niet dat ik radeloos ben!'

Ik leed met hem mee. Maar zijn vrouw en zus gingen met hem mee in de ambulance en misschien was dat ook maar het beste. Ik kon in ieder geval geen betere oplossing verzinnen.

Ik sta op en ga koffiezetten. Als ik heb ontbeten, de krant heb gelezen en heb gedoucht, is het halfnegen. Dan ga ik op het telefoontje van David Goschmann zitten wachten.

Om tien uur heeft hij nog niet gebeld en om halfelf nog steeds niet.

Het lukt me niet om iets te doen. Kan me niet voldoende concentreren om te lezen, begin in mijn gootsteentje een trui op de hand te wassen, maar hou daar halverwege mee op en laat het kledingstuk nat en ongewassen over een stoelleuning hangen. Probeer de kruiswoordpuzzel in de krant op te lossen, maar dat gaat meteen mis. Ik moet eigenlijk naar de wc, maar het telefoonsnoer is te kort om daarvandaan op te nemen. Dus ik hou het op.

Twaalf uur. Ik weet dat hij 'uiterlijk om twaalf uur' heeft gezegd. Als het een paar minuten over half is, ga ik weer zitten en staar naar de telefoon. Ik bedenk me en ga languit op bed liggen. Doe mijn ogen dicht en tel mijn hartslag.

Denk bij mezelf dat de Dood naast me in bed ligt; ik weet niet waar deze hersenschim vandaan komt.

Nu is het kwart voor. Ik drink het laatste restje koffie van die ochtend en word langzamerhand misselijk. De telefoon gaat nooit als je wilt dat hij gaat. Dat is een oude wijsheid. Ik moet proberen om aan iets anders te denken. Ik staar uit het raam en vraag me af of meneer Linkoweis alweer thuis is. Of op zijn minst een diagnose heeft gekregen.

Tien minuten voor. Er gebeurt niets. Helemaal niets.

Vijf voor.

Om twee voor twaalf gaat de telefoon. Ik haal diep adem, leg mijn hand op de hoorn en wacht tot hij nog een keer gaat. Wil niet te gretig overkomen.

Neem op.

Het is mijn vader. Hij vertelt dat hij geen testikels meer heeft, maar dat hij toch een normaal leven kan leiden.

Ik hang op. De klok van de Stefanskerk slaat twaalf keer.

Een kwartier te laat ben ik in het Kellertheater. De anderen zijn er al. David Goschmann zit op de rand van het podium in een zwarte polotrui en met bungelende, zwarte corduroy broekspijpen. Hij pauzeert even als ik de deur achter in de zaal opendeuw.

Rottenbühle draait zich om en hoest in zijn hand. Zijn verkoudheid lijkt nog niet beter te zijn geworden. Ze zitten met zijn vijven op de eerste rijen voor in de zaal. Ursula en Vera, mijn zussen uit Tsjechov. Rottenbühle. En een nieuw meisje.

Ze heet Mathilde en haar kansen om actrice te worden waren met het einde van de stomme film al verkeken, want ze lispelt.

Ik loop langzaam over het linkerzijpad, dat schuin afloopt. Glimlach naar Goschmann en ga naast Vera zitten. 'Welkom', zegt Goschmann. 'We hebben het over Goneril en Regan en de noodzaak om ze te differentiëren. Twee min of meer identieke personages worden op het toneel nooit dynamisch of geloofwaardig. Ze zuigen elkaar als het ware leeg...'

'Ik snap het', zeg ik.

Goschmann schraapt zijn keel en gaat onverstoorbaar verder. De hele middag heb ik een gebalde vuist in mijn borst, die nu begint te bewegen. Omhoog en opzij. Ik moet de hele tijd slikken. Waarom zitten Ursula en Vera hier, denk ik bij mezelf. Wie van hen...?

'Mag ik even?' zeg ik.

Goschmann pauzeert opnieuw. Laat zijn kin rusten op de knokkels van zijn hand en neemt me op. Het blauwe spat er vandaag niet af.

'Is de rol van Cordelia al vergeven?'

Hij knikt. Rottenbühle hoest nerveus en komt half overeind van zijn plaats helemaal rechts.

'En?'

Goschmann laat zijn hand zakken.

'Ik vond jullie allemaal erg overtuigend.'

Ik wacht. De gebalde vuist maakt een draai.

'Zoals ik in het begin al zei... jullie worden onderworpen aan een hoge mate van willekeur. Het is helaas niet anders.'

'Wie?' vraag ik.

'We hebben onze zinnen gezet op... Ik bedoel, ík heb mijn zinnen uiteindelijk gezet op een meisje dat niet bij het gezelschap zit. Dat wil zeggen, tot voor kort. Ze heet Henny. Henny Delgado, ik weet niet of...'

Ik knijp mijn handen dicht en druk ze tegen mijn buik. Kan niets doen tegen de braakreflex die omhoogkomt.

Alles wat ik die dag gegeten heb, komt eruit. Alles wat ik mijn hele leven gegeten heb, lijkt het wel.

Rottenbühle helpt me naar buiten en zet me in een taxi.

David Goschmann
Hotel Figaro
Prinsengracht 112
Amsterdam

Grothenburg, 12 februari

Liefste David,

Bedankt voor je brief. Het was fijn laatst.

Nee, ik heb absoluut geen haast, hoe kom je daarbij? Een weduwe moet toch op zijn minst een jaar wachten? We hadden toch afgesproken om bepaalde sociale conventies in acht te nemen?

Dus ik doe het ook het liefst op deze manier, David, geloof me. Hoe de rest van je leven eruitziet en hoe het met je vrouw gaat, interesseert me niet. Dat heeft me nooit geïnteresseerd.

Maar ik hou van je en ik wil je. Een deel van je. Iedere maand een paar dagen van je. Misschien meer op den duur. Helaas kon ik niet naar Amsterdam komen, maar je moet niet denken dat ik afstand hou. Ik moest gewoon naar Berlijn. Wat zijn jullie mannen toch overgevoelig, zeg!

Je schrijft dat je bereid bent om van haar te scheiden als ik het zou vragen. Ik weet niet in hoeverre je dat meent, en misschien vraag ik het op een dag wel van je. Misschien ga ik meer verlangen, zoals gezegd. Maar niet nu, David. Laten we genieten van de spaarzame momenten die we hebben, zoals we de afgelopen jaren ook hebben gedaan. Wijn wordt beslist niet lekkerder als je er vijf in plaats van twee glazen van drinkt. Toch?

Natuurlijk kom ik in maart naar Straatsburg, dat beloof ik. Of ik echt de volle vier dagen kan blijven, weet ik nog niet. Maar ik zal mijn best doen om mijn colleges te ruilen.

Ik ben blij dat je mijn huis mooi vindt, maar het zou anders ook wel een schande zijn. Ik vond het heerlijk om je hier te hebben en je weet dat je altijd welkom bent als het je te heet onder de voeten wordt. Laat het me een paar uur van tevoren weten, dan kan ik alvast wat klaarmaken en een flesje wijn opentrekken.

Goed nieuws is dat ik hier kan blijven wonen. Door onverwachte omstandigheden is mijn financiële situatie weer op orde, dus alles ziet er nu rooskleurig uit. Je hebt gelijk, je moet nooit de hoop opgeven.

Ik mis je wel een beetje, om eerlijk te zijn. Ik vind het heerlijk om hard en stevig met je te vrijen en daarna met jou tegen me aan in slaap te vallen.

Misschien volgende week?

Een avond en een ochtend, als je kunt?

Liefs,
je Agnes

OP VRIJDAG IS DE hemel boven München onverwacht helder. 's Morgens maak ik een lange wandeling door de Englischer Garten en ik betrap mezelf erop dat ik mijn honden mis. Honden zijn gemaakt voor parken, of was het andersom?

Ik weet nog niet precies hoe en niet precies wanneer ik Henny ga ombrengen. Ik weet niet eens zeker of het vandaag gaat gebeuren, maar ik denk het wel. Ik heb een plan, of verschillende plannen eigenlijk, een heel scala aan handelingsmogelijkheden, en als het ene niet lukt, dan lukt het tweede of derde wel. Dit is de enige manier waarop ik te werk kan gaan; ik moet deze open methode gebruiken en op een bepaald moment mijn kans grijpen. Ik maak me nergens zorgen over. Integendeel, zo zit het leven in elkaar, het is een fandango tussen toeval en orde, en iemand die niet kan dansen kan ook niet verlangen het leven ten volle te leven.

Maar ik kan dansen. Dat heb ik altijd gekund.

Op de terugweg naar het hotel ga ik een telefooncel in. Bel naar Hotel Regina, leg uit dat we een bloemetje bij Henny Delgado willen bezorgen en ik vraag naar haar kamernummer.

Mevrouw Delgado heeft nog niet ingecheckt, weten ze me te vertellen. Maar ze krijgt kamer 419.

Ik bedank en hang op. Zo simpel is het, denk ik bij mezelf. Zo ongehoord simpel.

Niemand heeft me verdacht van de dood van Erich en niemand zal me verdenken van de moord op Henny. Zo is het. Ik stap de telefooncel uit en kijk op mijn horloge. Het is twintig minuten over elf. Ik kan niets anders doen dan wachten. Ga terug naar mijn kamer in Alter Wirt, maar ik voel me rusteloos en ga weer naar buiten.

Ik breng een paar uur door in de stad. Wandel door de Tal en Kaufingerstrasse naar de Karlstor. Breng een bezoek aan het Haus der Kunst, maar hou het daar snel voor gezien. Ik heb alles al eens gezien. Ik ga lunchen in Ehrengut. Het weer is de hele middag onveranderlijk, er waait een zachte wind vanuit het zuidwesten. Er zijn redelijk veel mensen op de been, maar als ik koffie zit te drinken in het Johanniscafé voel ik iets. Ik kan er eerst niet de vinger op leggen, maar na verloop van tijd kom ik erachter dat het een soort aanwezigheid is.

Ja, aanwézigheid.

Een soort toeschouwer of zo; het gevoel is heel sterk en zwak tegelijk. Ik kijk voorzichtig om me heen in de rumoerige ruimte om te ontdekken waar deze gewaarwording vandaan komt. Het is alsof iemand me in de gaten houdt.

Waarom, vraag ik me af. Waarom zou iemand me in de gaten houden?

Een man die op zoek is naar een vrouw? Ja, dat zou heel goed kunnen. Maar als ik mijn blik opnieuw laat rondgaan, kan ik geen aannemelijke kandidaat voor deze rol vinden.

Ik betaal en verlaat het café. Kom in de Maximilianstrasse en koop sigaretten bij een tabakswinkel. Loop door naar de Theatinerkirche en de Hofgarten, maar het lukt me niet om het gevoel helemaal van me af te schudden.

Een dwanggedachte, denk ik bij mezelf. Sommige hersen-spinsels kunnen zich helemaal vastbijten.

Voelde ik vanmorgen trouwens niet ook iets in de Engli-scher Garten?

Ik hou een taxi aan en ga terug naar het hotel.

Om zes uur sta ik weer in een telefooncel om Hotel Regina te bellen. Vraag of ik mevrouw Delgado van kamer 419 mag spreken. Het meisje van de centrale vraagt om een moment geduld, en als ik Henny een verbaasd en enigszins ongerust 'hallo?' hoor zeggen, hang ik op.

Ze is er. Ik ga terug naar Alter Wirt. Laad mijn wapen en stop het in mijn schoudertas. Trek de kleren aan die ik heb uit-gezocht: een lichte, lange jas die ik al jaren niet meer heb ge-dragen, en een zwarte, lange broek. Zet mijn blonde pruik, een pagekapsel, en de bril op. Ik pas ze nu alleen nog maar even natuurlijk. Bekijk mezelf in de badkamerspiegel en zie dat ik een andere vrouw ben. Stop deze spullen ook in mijn tas en ga op pad.

De Marienstrasse en de Hochbrücknerstrasse. De cafés zijn leeg. De geparkeerde auto's zijn leeg. Een miezerige re-gen. Ik loop rechtsaf de Hildegardstrasse in en dan ben ik er. In een portiek zet ik mijn nephaar en bril op, en ik kan mezelf nog even in de spiegeling van de ruit bekijken voordat ik door de entree naar binnen ga. De foyer van het hotel is groot en pompeus. Marmer, donker eiken en zware leren fauteuils. De receptie ligt schuin voor me aan de linkerkant, de liften zitten rechts. Verder naar rechts zijn de bar en het restaurant. Ik denk snel na, glip de bar in en bestel een gin-tonic.

Het is vroeg op de avond en ook hier zijn weinig mensen. Een paar mannen en een vrouw alleen van een jaar of zestig. De vrouw heeft zich opgemaakt en ziet er tragisch uit. Ze zit op iemand te wachten, dat is duidelijk. Vanuit het restaurant hoor ik een grote groep mensen praten en lachen. Amerikanen, voorzover ik kan beoordelen.

Ik drink mijn drankje op en rook een sigaret terwijl ik in de *Süddeutsche Zeitung* blader. Overweeg om nu al te bellen, maar zie ervan af. Ik kan beter nog even wachten.

Ik verlaat de bar en loop direct naar de liften. Mijn jas over mijn arm. Druk op het liftknopje en ga alleen naar de vierde verdieping. Kamer 401-420.

401-410 linksaf. 411-420 rechtsaf. Een ijsmachine. Een schoenpoetsmachine.

Ik loop de gang in naar rechts; na 415 maakt hij een bocht naar links. 419 ligt helemaal aan het eind, tegenover de trap van de nooduitgang. Ik maak de deur naar de trap open en loop een halve verdieping naar beneden. Ga op een plek staan waar ik noch van bovenaf noch van onderaf gezien kan worden. Door een smal raampje kan ik een strookje lucht zien. Perfect, denk ik bij mezelf.

Doe mijn nephaar en bril goed en merk dat ik een beetje beef. Controleer of het pistool schietklaar is, pak mijn mobiele telefoon. Herinner mezelf eraan dat ik Henny's mobieltje moet zien te bemachtigen als alles voorbij is. Anders kan de politie mijn nummer tussen haar ontvangen oproepen vinden.

Ik zou het liefst nog een keer via de centrale van het hotel willen bellen, maar dat risico durf ik niet te nemen. Misschien wordt mijn nummer daar ook wel opgeslagen. In plaats daarvan steek ik opnieuw een sigaret op, die ik in het trapportaal oprook voordat ik Henny's mobiele nummer intoets.

Ze neemt niet op; dat hadden we afgesproken. Ik krijg haar voicemail. Ik wacht op de pieptoon.

'Hallo, George', zeg ik. 'Je spreekt met tante Beatrice. Ik wil alleen even zeggen dat ik de zwarte stokrozen heb besteld en betaald. Ze komen dinsdag. Je hoeft me niet te bellen, dat kost alleen maar geld.'

Ik zet mijn telefoon uit. Stop hem in mijn tas en haal mijn wapen tevoorschijn. Ga terug naar de stille, lege gang. Blijf voor 419 staan en verman me.

Klop twee keer.

'Ja?'

Haar stem klinkt heel dichtbij. Ik begrijp dat ze pal achter de deur moet staan. Ik durf de deurkruk niet omlaag te duwen. Ze heeft net te horen gekregen dat haar man dood is, en vermoedelijk heeft ze de deur op slot gedaan.

'De schoonmaakster', zeg ik en ik probeer mijn stem hoger

dan normaal te laten klinken. 'Ik kom schone handdoeken brengen.'

Twee tellen en dan maakt ze de deur open.

Ik ben meteen binnen. Henny deinst achteruit de kamer in. Ziet er bang uit. Ik duw de deur achter me dicht. Hou mijn wapen strak op haar gericht.

Ze zakt neer op het bed.

'U vergist zich', zegt ze.

'Nee, hoor.'

'U bent hier verkeerd.'

'Nee, ik ben niet verkeerd.'

Het is duidelijk dat ze me niet herkent.

'Wilt u mijn geld hebben? Ik heb niet veel, maar u hoeft alleen...'

Ik zet twee stappen in haar richting. Richt nu op haar hoofd.

'Wie bent u? Het is toch niet... Allemachtig!'

Ik merk dat ik glimlach. Ik kan me niet inhouden. Ik moet echt mijn best doen om niet in schaterlachen uit te barsten. Het welt in me op, als een orgasme bijna. Maar dan denk ik dat ik achter me iets voel bewegen, en net als ik me wil omdraaien...

EEN FLITS VOOR MIJN ogen.

Ik word wakker op een stoel. Heb moeite met ademhalen, want iemand heeft een grote pleister op mijn mond geplakt. Op het moment dat ik hem eraf wil trekken, knijpt een sterke hand in mijn nek en ik begrijp dat het ding op zijn plek moet blijven.

Dan pak ik de armleuning beet. Mijn pruik ligt op het bed, evenals mijn donkere bril. Henny zit tegenover me in de andere stoel in de kamer. Ze houdt een pistool op me gericht. Het is niet mijn wapen, maar het heeft wel net zo'n geluiddempend verlengstuk op de loop als het mijne.

Schuin achter me, tegen de muur, staat een man. De man die zijn hand om mijn nek legde. Ik vermoed dat hij ook een wapen heeft, maar ik doe geen moeite om het te controleren. Het enige wat ik heb zijn mijn blote handen en een verschrikkelijke hoofdpijn. Hij klopt en ik voel zwarte explosies in mijn voorhoofdskwab.

Tussen Henny en mij staat een lage tafel. Op de tafel ligt een enveloppe. Mijn naam staat erop geschreven, alleen mijn voornaam: Agnes. Hij is dubbel onderstreept.

Ik richt mijn blik op en kijk naar Henny. Haar lippen zijn gekruld in een soort ingehouden lach. Haar ogen glanzen van triomf. Misschien ook wel een beetje van de drank. Het duurt zeker tien seconden voor ze iets zegt. Maar als ze eenmaal begint te praten klinkt het des te duidelijker: *'Wat list verheelt komt vroeg of laat aan 't licht, ook zonde van de geest wordt eens gericht.'*

Een korte stilte. Ik herken haar stem niet. Haar rechtermondhoek trekt een beetje.

'Ik ben niet van plan om je alles te gaan uitleggen, Agnes', zegt ze. 'En ik kan geen woord meer uit je mond horen. Geen... enkel... woord. Hier, lees dit maar!'

Ze gebaart met het pistool naar de enveloppe. Ik pak hem en haal er een paar dubbelgevouwen vellen papier uit. Hetzelfde briefpapier als anders, hetzelfde welbekende handschrift. De man achter me schraapt zijn keel en gaat op zijn andere been staan.

'Lees!' zegt Henny opnieuw. 'Als je nu niet gaat lezen, schiet ik je meteen neer!'

Ik knik, maar voor ik mijn ogen op het papier richt, voel ik ineens die aanwezigheid weer. Als een koude regen spoelt die over me heen. De aanwezigheid van de grote angst die me een paar dagen geleden in het dorpje Worms als een waarschuwing overviel. De aanwezigheid die ik vanmiddag voelde.

Nu weet ik dat het geen inbeelding was. Weet dat ik deze ter harte had moeten nemen en tot de kern had moeten doordringen.

Nu zie ik het. Volkomen helder tussen de bliksemexplosies in mijn hoofd.

Ik heb er weinig aan. Ik richt mijn blik op het papier en begin te lezen.

Lieve Agnes,

Wat heb ik een hekel aan je. Ik wist niet dat het mogelijk was om zoveel haat te voelen voor iemand als ik voor jou voel. Maar zo is het.

Dat is ook de reden waarom ik dit melodrama in scène heb gezet in plaats van je gewoon op te zoeken en je af te maken als een hond. Ik wilde per se hiernaartoe komen om je in de ogen te kijken en je de waarheid te vertellen over jezelf en te zeggen waarom je moet sterven.

Precies zoals we hier nu zitten, Agnes.

Nee, richt je blik niet op van het papier, lees verder. Wanneer je bij het einde bent gekomen en ik weet dat je het begrepen hebt, schiet ik je dood.

Dacht je nou echt dat ik het niet wist? Dacht je nou echt dat ik zo naïef was om niet uit te zoeken wie de minnares van mijn man was? En dacht je nou echt dat ik in zo'n situatie David daarvan de schuld zou geven?

Je hebt me verkeerd ingeschat, Agnes. Je hebt me altijd verkeerd ingeschat én onderschat. Waarom ben je nooit blij geweest met de goede dingen, Agnes? Andermans tegenslagen zijn voor jou altijd bevredigender geweest dan je eigen voorspoed. List en berekening zijn je huisgoden. Het doortrapte.

Waarom kon je het niet hebben dat je moeder een relatie met tandarts Maertens had? Waarom misgunde je mij Cordelia? En Tristram Singh? Herinner je je hem nog?

En David? Ik weet niet precies hoe je hem in je netten ver-strikt hebt, maar ik ben ervan overtuigd dat je uitgekookt te werk bent gegaan.

Zoals altijd, Agnes.

Maar ik ben niet van plan om David te laten gaan. De meisjes hebben hun vader even hard nodig als hun moeder. En ik heb niet alleen mijn man trouw gezworen, ik heb ook mijzelf en mijn god gezworen om erop toe te zien dat ons ver-bond standhoudt. Tot de dood ons scheidt. Ik neem mijn ver-antwoordelijkheid. Ik ben iemand die gelooft in vaste waar-den. Dat was al zo toen we jong waren, dat herinner je je vast nog wel.

En ik wist dat ik je hiernaartoe kon lokken, Agnes, dat wist ik meteen. Mijn broer Benjamin — je kent hem vast nog wel, hij is de man die achter je staat — was daar minder zeker van. Ik heb hem er vanaf het eerste moment bij betrokken. We houden van elkaar zoals een broer en een zus van elkaar horen te houden en hij heeft altijd voor me klaargestaan. Je hebt hem nooit gemogen, we weten allebei nog hoe gemeen je tegen hem kon zijn, al was hij klein en weerloos. Hij heeft je hier in München geschaduwd — en een paar keer eerder. En als ik je heb doodgeschoten, zal hij je lichaam ongezien naar buiten dragen (ja, hij is inmiddels groot en sterk) en in de Isar gooien. We zullen je goed verzwaren en op de drassige bodem van de rivier zal je lichamelijke deel zijn einde vinden. Waar je ziel naartoe gaat laat zich raden.

Niemand zal je vinden, Agnes. Je zult als vermist worden

opgegeven. Ik weet niet welk reisdoel je aan de familie Barth hebt opgegeven, maar ik weet zeker dat je noch Amsterdam noch München hebt gezegd. Benjamin zal er ook voor zorgen dat je auto verdwijnt. Je zult weggevaagd worden, Agnes. Weggevaagd.

Zoals je zult begrijpen geniet ik hiervan. Nu ik je je doodvonnis hoor voorlezen, voel ik een warme en grote blijdschap. Het heeft me wel wat geld gekost om dit alles op touw te zetten, dat weet je, Agnes, maar ik zit er warmpjes bij en het was me iedere euro waard. Misschien bestaat er wel geen grotere voldoening dan deze, om iemand die je zoveel pijn heeft gedaan met eigen verstand en eigen hand te straffen. Om iemand om te brengen die je verfoeit en die geprobeerd heeft je leven te verwoesten.

Om wraak te nemen.

Je wilde mij doden. Ik wist dat je de verleiding niet zou kunnen weerstaan en nu zit je gevangen in je eigen val. Het is op niets uitgelopen. Je moet toegeven dat je krijgt wat je toekomt.

Je nadert het einde van mijn laatste brief, lieve Agnes. Er rest weinig meer, volg de regels, lees woord voor woord. Als je bij het laatste woord bent gekomen, richt je je blik op en dan schiet ik je met twee of drie schoten door je hoofd.

Of misschien schiet ik wel op je borst; ik gun je wel wat pijn voordat je sterft.

Ja, kijk maar omhoog, dan zie je dat er een geluiddemper op mijn wapen zit, dezelfde als jij had, Agnes. Waarom schreef je dat je pistool lawaai zou maken? Was het iets te onwaarschijnlijk dat je een wapen met een geluiddemper in je bezit zou hebben of er een zou kunnen bemachtigen? Ik weet het niet, Agnes, maar ik weet wel dat je ogen nu heen en weer schieten. Nee, zoek geen oogcontact met me, er is nog een vel papier over. Je weet nog niet hoeveel erop staat, maar dat zie je zo, en als je bij het laatste woord op de bladzijde bent, sterf je. Nee, niet teruggaan om het opnieuw te lezen, ik weet dat het je duidelijk is, volkomen duidelijk…

Zo, nu zijn alleen deze armzalige regeltjes nog over. Vreemd hè, hoe je bij ieder woord kunt treuzelen, alsof je je vastklampt aan elk
klein lettertje,
alleen maar
om in leven te blijven.
Dat een tel zoveel
kan betekenen, Agnes, maar nu zie ik
dat je er bent.
Je moet zo je blik oprichten, Agnes.
Kunt hem niet laten rusten bij
ieder woord.
D
it is de laatste bladzijde,
dit is
het laatste
moment
van je leven.

Richt je blik op, Agnes.
Kijk me aan.
Nu.

Håkan Nesser bij De Geus

Het vierde offer

In de kustplaats Kaalbringen zoeken commissaris Van Veeteren en zijn assistente Beate Moerk naar een verband tussen drie gruwelijke bijlmoorden. Dan verdwijnt Beate spoorloos.

Het grofmazige net

Nadat hij de avond met haar heeft doorgebracht, vindt Janek Mitter zijn vrouw dood in de badkuip. Hij wordt schuldig bevonden, maar wanneer hij in een psychiatrische gevangenis opgesloten zit, valt er een tweede dode te betreuren.

De vrouw met de moedervlek

Op haar sterfbed vertelt een moeder aan haar dochter over afschuwelijke gebeurtenissen uit haar jeugd. De dochter aanvaardt de erfenis: een grenzeloze haat jegens mannen maakt zich van haar meester. Zij neemt een nieuwe identiteit aan en komt in actie.

De terugkeer

Op een augustusmorgen verlaat een moordenaar de gevangenis. Ruim een halfjaar later wordt zijn verminkte en half ontbonden lichaam gevonden. Leopold Verhaven is een oud-atletiekkampioen, die indertijd is ontmaskerd als oplichter en dopinggebruiker. Hij heeft vierentwintig jaar gezeten voor het verkrachten en vermoorden van twee vrouwen, maar heeft altijd volgehouden dat hij onschuldig is.

De commissaris en het zwijgen

Uit een zomerkamp van de religieuze sekte Het Reine Leven is een meisje verdwenen. Als commissaris Van Veeteren in het kamp een kijkje gaat nemen, wordt hij ongastvrij onthaald. De aanbeden leider van de sekte, eerder veroordeeld voor een seksueel delict, maakt geen sympathieke indruk op Van Veeteren. En niemand wil ook maar enige informatie geven.

De zaak van Münster

Het team van inspecteur Münster tast volledig in het duister bij de moord op de oude Waldemar Leverkuhn. Het gebruikte geweld duidt op extreme woede bij de dader, maar waarom? Münster besluit een beroep te doen op de befaamde intuïtie van commissaris Van Veeteren, die van een jaar verlof geniet. Van Veeteren hoeft maar even te snuiven om zeker te weten dat de zaak stinkt.